劉福春・李怡 主編

民國文學珍稀文獻集成

第三輯

新詩舊集影印叢編　第92冊

【楊晶華卷】

北河沿畔

北京：星花文藝社 1926 年 7 月初版

楊晶華　著

花木蘭文化事業有限公司

國家圖書館出版品預行編目資料

北河沿畔／楊晶華　著 — 初版 — 新北市：花木蘭文化事業有限公司，

2021〔民110〕

196面；19×26公分

（民國文學珍稀文獻集成・第三輯・新詩舊集影印叢編　第92冊）

ISBN 978-986-518-473-5（套書精裝）

831.8　　10010193

ISBN-978-986-518-473-5

民國文學珍稀文獻集成・第三輯・新詩舊集影印叢編（86-120冊）

第92冊

北河沿畔

著　者　楊晶華

主　編　劉福春、李怡

企　劃　四川大學中國詩歌研究院

四川大學大文學學派

總 編 輯　杜潔祥

副總編輯　楊嘉樂

編　輯　許郁翎、張雅淋、潘玟靜　美術編輯　陳逸婷

出　版　花木蘭文化事業有限公司

社　長　高小娟

聯絡地址　235 新北市中和區中安街七二號十三樓

電話：02-2923-1455／傳眞：02-2923-1452

網　址　http://www.huamulan.tw 信箱 service@huamulans.com

印　刷　普羅文化出版廣告事業

初　版　2021年8月

定　價　第三輯86-120冊（精裝）新台幣88,000元

北河沿畔

楊晶華 著
楊晶華，廣東人。

星花文藝社（北京）一九二六年七月初版。原書三十二開。

楊晶華的詩歌散文集
北河沿畔
疑古玄同

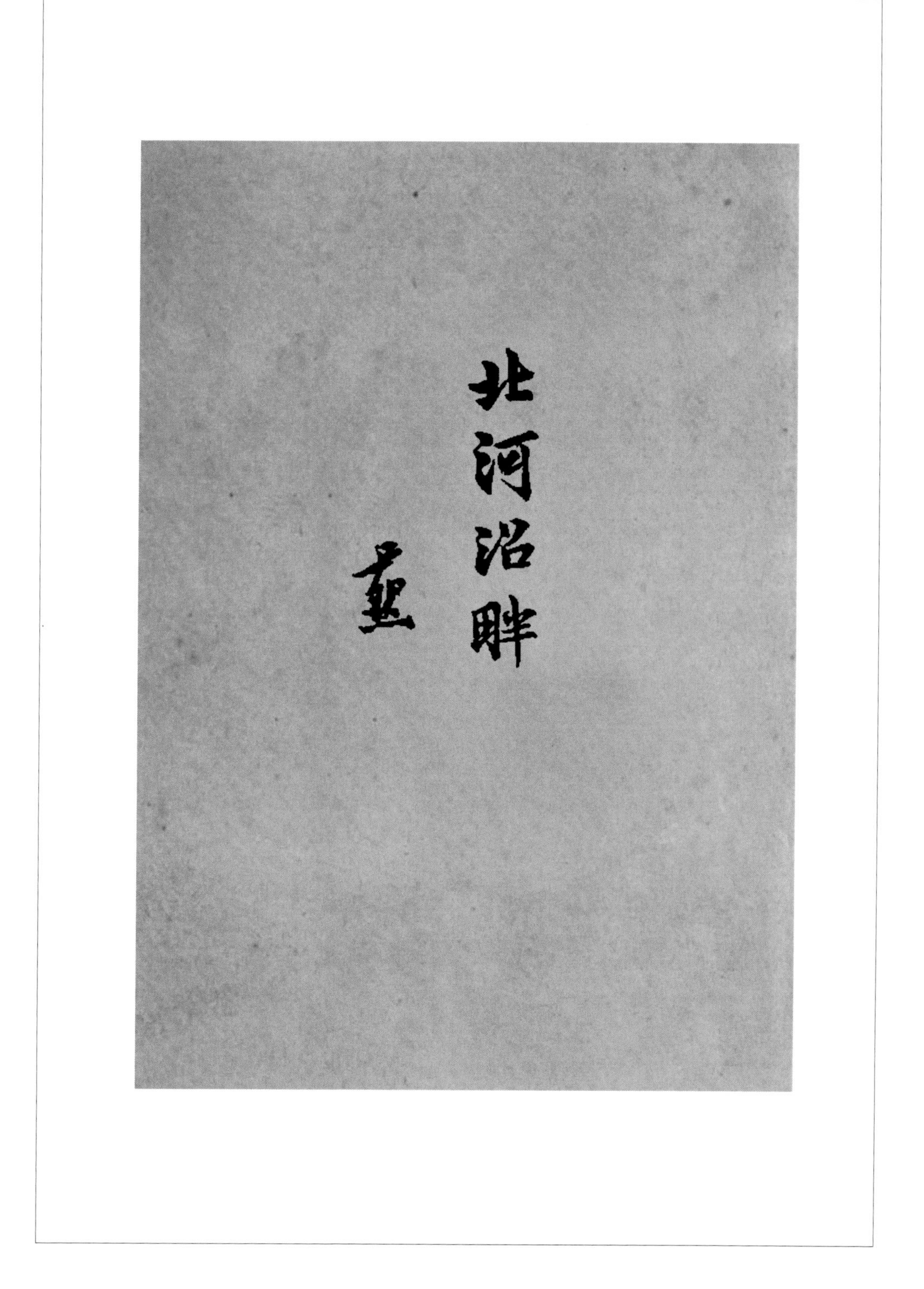
北河沿畔

此集付印時，承俞平伯先生爲我作序跋；林風眠先生爲我畫封面；疑古玄同，沈尹默，馬衡，林損諸先生爲我題字；璧巖女士爲我畫漫畫；黃鐵錚先生爲我攝影，特此致謝。

著者最近的像

1926

北河沿的初春

凍冰初解水澄鮮，
遠望河橋曉色連；
柳綴鵝黃波漾綠，
初春佳景在河沿。
丙寅初春作者題。

馬衡題

自序

這冊小書，居然能夠在這樣戰雲瀰漫，生活困難的現在的北京出世，也不能不算是一件可以引爲自慰的事情。

朋友们勸我出集子，已經是一年前的事了；然而我總當作耳邊風，並沒有特別留意過。到了今春，又有幾位朋友寫信來催促，並說願與我以印費的幫助；於是再沒法推諉了。課餘之暇，把近年來在文學旬刊，婦女雜誌，現代評論和其他文藝刊物上所發表過的詩歌小說和小品文略加刪改，編成一集，就把集裡最後一篇的題名，叫牠為『北河沿畔』。

我所以把這個名詞題牠的緣故第

一固然是貪方便，第二就是因為她是我數年来的住所，而且和我的過去的生活，很有密切的關係。

記得四年前的一個初夏的早晨，我從正陽門車站出来和那高矗天空的前門行了見面禮後，就一直雇了一輛洋車，走到這北河沿畔；那時我還不知道她的名字，只默默地如同見了風姿瀟洒的女郎一般，是以使我頓起愛慕之念就是了；因為她不但有數里連根不斷的垂楊和微波蕩漾的綠水；而且有曲欄相望的石橋和一綠無窮的遠天。

在這半年中間，我雖然住在宿舍；然而因為要到三院上課的緣故，每天總和她有三四次的相見。到了第二年的初春，我從宿舍裡搬住到她那石橋之畔；於是一天到晚都和她接觸了。每當朝曦初上，曉色迷離；或夕陽斂下，暮靄蒼茫的當兒，總有我在這裡流連，尤其是雪朝月夕，雨後風前，更離不了我的形影；也曾獨自地倚欄遙望，也曾結伴緩步談天；也曾把她當作詩中材料，也曾把牠當作小說背影；總之四年來的過去生活，都曾和她結了不解之緣；所以我這冊小書，就把牠叫做『北河沿畔』。

我之這冊小書的名詞，既然如此，那末牠的出版，乃完全是為紀念我的過去的生活就可知了。我並不希望牠有什麼文學的價值，也不希望人家當作牠是什麼文學的作品；我既不希望人家當作牠是什麼文學的作品，所以我也毫不計較人家的褒貶。

我很希望這北河沿能夠再給我以無限的愉快，我也很希望她常作我詩文裡的背影；使我得多寫幾篇生命的斷片，以紀念我青春時代的生活過程。

一九二六年荷花開時，
寫於北京北河沿畔。
楊晶華

目次

封面畫（四色版）
自序（手寫石印四頁）
俞平伯先生手寫跋
作者的小影（銅版插畫）
北河沿的初春（銅版插畫）
北大二院的校園（銅版插畫）
河橋鞭影（石印漫畫）
第一輯 詩歌
雨絲——小詩二十首……一
河沿晚步……八

物的悲哀……九
暮春……一一
一句不見……一四
梅雨之夕……一五
金陵雜咏……一七
夏雨……二四
樓頭曉望……二五
校園裏的秋曉……二七
題江鄉秋晚圖……二九
傷別……三一
終於振着兩腿出去了……三三
縹緲的天使……三五

月夜的梅溪……三九
雪後……四二
田園雜詩……四五

第二輯 散文

上卷

一朵薔薇……四九
杜鵑的悲哀……七一
最後的勝利……七九
從她走後……九九

下卷

驢背的一瞥……一〇九
秋村鴈影……一一五

什刹海邊……一二九
妯娌樂……一三九
北河沿畔——小品四章——
（一）試驢……一四九
（二）北河沿的一個夏之晨……一五五
（三）中秋之夜……一五七
（四）雪夜……一六三

第一集詩歌
損
林損

雨絲

——小詩二十首——

（一）

點點的雨珠，
能潤濕一切，
却不能潤枯燥的心田。

（二）

螢火對着月亮說：
『你沒有出來的時候，
我也曾作黑暗世界的明星！』

（三）

涼風起來時，
扇子停着牠的動作說：
『爲着你我的功用失却了。』

（四）

絲絲的細雨，
原來是上帝彌灑的情絲呀！
嫉妬的風，
爲什麼要把牠吹斷？

（五）

笑嘻嘻的玫瑰花，
滴上幾點雨珠，

——2——

便淚痕濕着腮邊了。

（六）

密鋪着大地的雪花呀！
任你怎樣冷酷，
也不能降低人們熱烈的愛情。

（七）

花園裡採蜜的蜂呀！
小心些罷，
妒情的蛛網在前了。

（八）

爆竹呵！
爲了你激烈的心火，

破裂你自已的肚皮。

（九）

把玩着兒童手裡的天牛，
只為你穿上絢爛的衣服呀！

（十）

當斜陽正偎倚着錦緞似地霞被裡，
酬吻着西山頂上的金髮時，
黑暗已偷偷地伏着夜幕之中了。

（十一）

希望之花，
正如幻影鏡裡的影子，
你要照出你的眞形時，

—4—

却又變成歪嘴歪鼻的畸人了。

（十二）

能够燃燒人們的心的，
不是那炎炎的烈火，
却是那隱藏着脾臟深處的情燄。

（十三）

躑躅着河邊的浮萍，
擁抱着飛絮說：
「親愛的！
只有你是我漂漂中的唯一伴侶呀！」

（十四）

鐵總是要生銹的，

欺人的鉄匠，
偏要把金光鍍着牠的面上，
怎奈金光消盡了，
還是現出原來的醜態。

（十五）
誰說棕樹是沒有旁枝扶持的弱者？
但任人們怎樣地剝奪，
依然顯出參天的壯氣，

（十六）
世界上能够終久伴着旅行的。
只有風伯和雲姨吧！

（十七）

—6—

潺潺地流着白石溪裏的山泉，
本是衆流中唱着清調的歌者，
那知流到汚濁的大河裡，
也要吼出洶湧驚人的怒濤!?

（十八）

寒潭的秋月，
愈到夜凉人靜的時候，
愈顯出牠的晶瑩秀澈的清光。

（十九）

離畔的松呀!
能燦爛地伴你過淒涼的深秋的，
不是灼灼的夭桃，

却是傲霜的菊花。

（二十）

煩惱之魔對着愉快之神說：

『我倆在人們的中間，

雖然是反對的敵人；

但要証明我倆的功用時，

總脫不了你我的助力。』

——四，六，一九二三。——

河沿晚步

習習的晚風，

吹上一輪明月，

—8—

掛在楊柳梢頭；
我却蹣跚地步入幽邃之陰，
把滿腔幽緒，
倩那絲絲的柳枝兒繫着，
寄給光明之國的嫦娥。

——四，三十，一九二三，——

物的悲哀

野火燒着未乾的柴，
發出慘凄凄的哀音，
流着幾點血淚，
似訴牠未到熱烈的田地。

雨後的殘花。
含着點點流淚，
知道牠們快要和親切的枝兒離別了。

☆ ☆ ☆

風前的蠟燭，
恐牠的眞光不久消滅，
一面燃燒牠的心，
一面流着牠的淚。

☆ ☆ ☆

獨輪的運水車，
知道不能周濟人們的渴望，

才唱出淒婉幽咽的悲歌。

☆　☆　☆

浮着幾點落花的池水，
風吹得鱗也似地，
皺着牠的臉皮，
難道牠也知道春去的悲哀嗎？

——五，一，一九二三。——

暮春

問誰知道春歸也？
只有多情的鵑鴣，
聲聲啼斷落紅影裡的殘陽。

☆　☆　☆

斷續的桔槔聲裡，
吹着一簇醱醨風，
暫作青帝辭行的贈品。

☆　☆　☆

拴着古渡旁邊的野航，
只載着幾點落花飛絮，
在無言的野水上徘徊。

☆　☆　☆

狂飛着枝頭的蛺蝶，
好像失戀的人們，
躑躅着那愁紅怨綠的園裏。

——12——

☆ ☆ ☆

我沒有什麼送春的禮物，
聊把滿地榆錢，
買些青春之酒。

☆ ☆ ☆

青帝！
我不說了，
明年春風，
待你於梅花枝上吧！

——五，十，一九二三。——

一旬不見

一旬不見的伊人，
好像是天上的織女星；
我從夜間想到朝晨，
從早晨望到黃昏，
看不見姍姍而來的倩影，
聽不着娓娓動聽的笑聲；
只見那纖腰的嫩柳，
在曉風裏梳她的絲絲的細髮；
只聽那嗚嗚的汽笛，
在淡漠的斜陽裏悲鳴。

唉！
無限煩悶，
無限痴情，
只想倩那蛛絲一般的電線，
寄給我一句不見的伊人。

——七，十，一九二三。——

梅雨之夕

霏霏的梅雨，
連綿不斷地從朝至昏；
空使我，
悶坐書齋，

對着鬱蒼蒼的遠樹，
悶沉沉的濃雲；
望伊人不見，
叫伊人不聞；
只見河沿裏水漲平橋，
草長數寸，
柳翠三分，
唉！
『相思相見知何日，
此時此夜難爲情。』

——七，十四，一九二三。——

金陵雜掇

記得去年此時，正和友龍漫遊金陵，今已閱年矣，而前遊歷然在目，乃追作雜詩數章以誌憶。

（一） 玄武湖

曉日照着青山，
輕烟罩着綠樹，
四面寂無人，
只聽漁笛一聲，
走入菰蒲深處。

（二） 鷄鳴寺

菱歌聲裡，
惹起無限的閒愁，
極目豁蒙樓，
何處是當日風流？
只見靜悄悄的鐘山，
還是六朝螺黛，
倒影着綠波蕩漾的後湖。

（三） 明陵

一道紅牆，
圍繞着半面的山嶺，
只此頹巍巍的陵墓，

已遺留下帝王的餘發；
更何須向陵前的翁仲，
問當日的專制威嚴！

（四） 靈谷寺

驢兒得得，
踏破滿徑的寒雲，
叟叟的松風，
吹着一聲鐃響，
搖破萬斛紅塵。

（五） 秦淮河

依舊畫船來往，
依舊楊柳參差，

似有人彈商婦的琵琶，
似有人唱商女的後庭花；
但看不見當年的歌女，
空使我對景咨嗟；
唉！
這碧油油的水裡，
曾沉盡幾許才子名花？
到如今，
還是輕煙籠水，
淡月籠沙。

（六）浙軍墓

巍巍的墓碑上，

——20——

噪着幾個暮鴉；

我來憑弔，

正碰着滿地開着殷紅的石榴，

好似當年熱血濺成的革命之花。

（七） 莫愁湖

滿湖烟雨，

籠罩着滿岸垂楊，

也許是莫愁怕羞，

故把碧紗掩藏；

幸有一簇荷花風，

吹送一些香氣，

慰我愁腸。

（八） 隨園

隨園在望，
何處是小倉山房？
除却薛荔罩着的頹墻，
只有幾樹蟬聲，
滿山靑草，
冷照着淚眼朦朧的夕陽。

（九） 淸凉山

森森的長江，
白練似地繚繞着層層的遠樹，
再凝眸一望，
只看見那片片輕帆，

—22—

白鷺似地飛入水天窮處。

（十） 掃葉樓

未到落葉時節，
來上掃葉樓頭，
春去夏來，
已不知換了幾多掃葉人嘍？
唉！
安得借將淸帚，
掃盡我心裡的片片離愁。

——七，二十，一九二三。——

夏雨

墨也似的黑雲，
奉着閃電的使命，
忽佈滿炎酷的天宇；
無數的蜻蜓，
織成了絲絲的驟雨。

——七，二十，一九二三，——

——24 ——

樓頭曉望

一帶長空如洗，
是雨後初晴的曉秋天氣，
樹也分外幽綠，
草也呈着新翠；
一輪朝旭，
照着古殿的瓷瓦，
放出黃金色的光芒，
閃爍空際。
幾个不知名的小鳥，
飛來飛往，

夷猶如意・

微風吹來，

袖底涼生，

無端地憶着往年的早秋風味・

凭欄悵望，

只恨煞層層遠樹，

把愛人的屋兒遮却，

不知何處？

空惹起一段閒愁，

無意適地在樓頭踱來渡去。

——十二，八，一九二三，北大第一院樓頭。——

校園裏的秋曉

一株烏桕，
擎上一輪紅日，
照遍清寥的穹宇。
園墻外的行人，
返影着樹上，
忽來忽去。
點點玉露，
綴着爭最後光榮的雜花亂草，
似滴着瑩瑩的淚珠，
欲泣無語。

啁啾的小鳥，
蕭瑟的風樹，
也似在共話秋涼，
如怨如訴。
問誰知寂寞幽人，
惜花起早，
領略這秋朝風味？
只有懸着中天的半規殘月，
還鞠躬似地垂着青睞，
徘徘徊徊。

——九，三，一九二三，於北大三院。——

題江鄉秋晚圖

（一）

白沙洲上，蓼花紅，蘆花白，

秋風吹來，紅白交加，一片風情脈脈；

婀娜白髮蘆花，還偎着水國紅顏，怡然自適。

（二）

他霜的楓葉，

無言地落在秋江裏，不自主地躑躅着涔畔汀邊；

唉！這些薄命的紅顏，一自天涯淪落，

又不知漂流到何處悲哀之淵？

（三）

兩岸蘆花，半江秋水，
西風裏，一輪斜日，照着瀰瀰的江鄉；
問誰站着疎柳橋頭，
望斷天涯人不見，獨自徜徉？

（四）

黃葉江頭，泛着一棹扁舟，遙向江南歸去；
因憶着蓴菜鱸魚，好个江鄉風味。
南歸的旅雁呀！
願你替我報个平安，並問問我家此刻，
是否同樣圍着樓頭皎月，
香着階前玉桂？

——九，十五，一九二三。——

——30——

傷別

在幢幢的燈光之下，
忽然接着一封粉紅的信箋，
抖顫顫地拆開一瞧，
是y妹報道離別的郵傳。

☆ ☆ ☆

她說她不願別，但敵不過環境的壓迫，
我說我不忍別耐不過沉寂的孤零；
折盡河橋細柳，
總繫不住離人的足跟。

☆ ☆ ☆

唉！半年來的安慰，
半年來的纏綿，
只付與一聲汽笛，
喚出滿地愁雲。

☆　☆　☆

最悵惘是清晨薄幕，
最難堪是月下燈前，
猛憶着河沿步月，雙雙人影，爭長競短，
猛憶着窗前唱曲，歌喉婉囀，意態嬌妍。

☆　☆　☆

但是，
如今呢！

——32——

「百勞東去燕西飛，
「參商相見待何年？」

☆ ☆ ☆

y妹呵！從今後，——
雲山萬疊，傳情只憑着一紙瑤箋，
莫辜負臨岐致語，
空使那天涯痴子，悵惘惜天！

——十二，十，一九三〇——

終於振着兩腿出去了

我想決心地振着兩腿去見她，
又爲着呼呼的狂風阻住了；

延佇着充滿了煩悶和寂寞的室中，
希望風姨下靜息的命令，
但牠又開玩笑似地越發越大了；
我不忍聽那噹噹的鈴聲搖碎了我孤獨的愁心，
我不忍看那紛紛的沙土隔絕了我的視眺；
我於是向着無情的狂風肅立，
請問牠能否把我的滿腔愁緒，
吹送到我的愛人的心窩？
但牠仍是呼呼地吹着不答，
便終於振着兩腿出去了。

——十二，二十，一九二三。——

縹緲的天使

縹緲的天使呀！
你是女神的降臨，
還是安琪兒的化身？
你有薔薇似的頰，
你有櫻桃似的唇，
你有蝤蠐似的粉頸，
你有秋水似的眼睛；
你的眉彎上掛着無限的情緒，
你的笑渦裏蘊着無限的活潑和歡欣；
只笑瞇瞇地瞧我一眼，

既無形中捉住了我的靈魂。

☆ ☆ ☆

在清寒的薄暮，
我獨自徘徊着踈樹之根，
那時我孤獨之心，
好似失了槳的船兒，
飄蕩着空寂的滄溟。
忽憶着你的娉停的玉貌，
渾忘了路之近遠；
但抬頭一望，
又只有皓月在樹，
映下孤影亭亭。

☆　☆　☆

在寂寞的夜裡，
我從疲倦裏走下睡鄉，
忽夢見你的娉婷的玉貌，
聊慰我孤獨的悽愴；
但睡魔不讓你久留，
又催促你前往；
我用盡了我的全力，
却捉不住你的裙裾，
空餘悵惘。

☆　☆　☆

縹緲的天使呀！

你從何處來，從何處往？
找不着你的住處，
挹不到你的芬芳；
空剩下你的娉婷的玉影，
深深地鐫着心頭，
在愛之國裏徬徨。

——十二，三十，一九二三。——

月夜的梅溪

滿溪明月，
靜照着滿岸的梅花，
倒影着清碧玲瓏的溪裏，
澄空裏浮動着簇簇暗香，頻撲幽人的鼻宇。

☆ ☆ ☆

緩緩地走到一棵最潔白的根下，
誠懇地凝着眸兒，瞧着那一朵朵的瓊英，
橫斜的疎影，酣抱着團圞的皓月，
給我以無限的光明，和清芬。

☆ ☆ ☆

溪水玲玲地奏着自然的音調，
蜜蜂嗡嗡地唱着甜蜜的歌聲；
在這萬籟無聲的冷香世界裏，
無意中既陶醉了我的飄蕩的靈魂。

☆　☆　☆

在燦爛的春園裏，我曾欣羡桃花妹妹的美麗，
在澄清的夏池中，我曾領略白蓮姑姑的芳馨；
但總不如梅花姊姊的
淡粧素服，清雅宜人。

☆　☆　☆

唉，羅浮山下的梅花村，
月明林下的美人，

——40——

我雖不敢希望趙師雄同夢的艷福，
却也可以做孤山清隱的林和靖。

☆　☆　☆

晶瑩的孀娥呀！
敬謝你的仁愛之光，
照我孤寂的人，
找到最潔白的一根。

☆　☆　☆

嗡嗡的蜜蜂還是唱着酬蜜的歌聲，
玲玲的溪水還是奏着自然的音調，
晶瑩的孀娥已斜着眼波在笑，
潔白的梅姊也裊着腰肢在跳。

☆　☆　☆

詩思飄飄，清夢陶陶，
在這冷香世界裏，
只有花，只有光，只有愛，
融成了這極樂之宵。

——十二，二十二，一九二三。——

雪後

紛紛的雪花，
把汚濁的大地粧成白銀的世界了；
侵曉起來，
只見白皙皙的面龐上，

——42——

印着幾個人跡，
報告牠積度的厚薄。

☆ ☆ ☆

陽光正散着她的絲絲的金髮，
透過綿花似的輕雲，
吻着雪姊的笑頰，
枯柳的柔枝愈顯出黑黝黝的細影，
面紗般地罩着雪姊的玉臉，
呵！這正是陽光和雪姊的純潔的愛呀！

☆ ☆ ☆

呵！雪姊！我不願侵犯你的潔白的臉孔，
我寧佇立着窗前；

我更不願你陡然離開這污濁的大地，
我幾次阻止着執帚的人們；
只恨我不是陽光，
不能把金髮散在你的頰上，
只恨我不是柳樹，
不能把細影罩着你的玉顏。

☆　☆　☆

但是，雪姊！假如我是一個彌縫的妙工，
我至少要執着雨絲風剪，
把你的潔白的綿絮，
縫成無數的鵝毛，去給那些凍着愛鄉之外的人們。

——十二，三十，一九三〇——

田園雜詩

久客都門，受縛塵網，每憶田園，不禁神往；乃作此詩，以誌遐想。

（一）

滿林綠樹，
罩着團團的青蘿，
找不着農人的住處；
只見槿籬下，
母鷄帶着鷄兒在覓食，
小犬搖着尾兒在狂吠。

忽然荆扉呀的一聲，
蕎麥叢裡，
走出一個村童，
口裏含着手指，
歪頭凝眸地瞧着我，
知道這裏就是到樂園的小徑了。

（二）

滿開着桃花的小石溪裏，
溪水潺潺地激鳴着，
每早起來，
總聽到水聲裏間着浣衣溪女的笑聲。

（三）

暮靄罩着村頭，
斜陽掛着樹杪，
趁晚的農郎，
只有牛背牧童的短笛，
吹出徘徊東山的一鈎新月。

（四）

插着滿頭野花的採桑少女，
引得幾個蛺蝶，
欲採不前地翩翩飛着後頭。

（五）

乘晚走入松林，
颼颼的松風，

吹落幾個松子，敲動遊客的琴絃；
緩緩地踏着殘月歸來，
在閣閣的蛙聲中，
惹得幾聲巷犬，吠起枝頭宿鳥。

（六）

清和的夏夜，
萬籟無聲，獨坐槐窗下，
晚風吹來荼蘼的幽香，
流螢閃着金鋼石般的燐火，
照着無言的槐花，
點點飛入硯池。

——一九二四，一個初夏的月夜。——

——48——

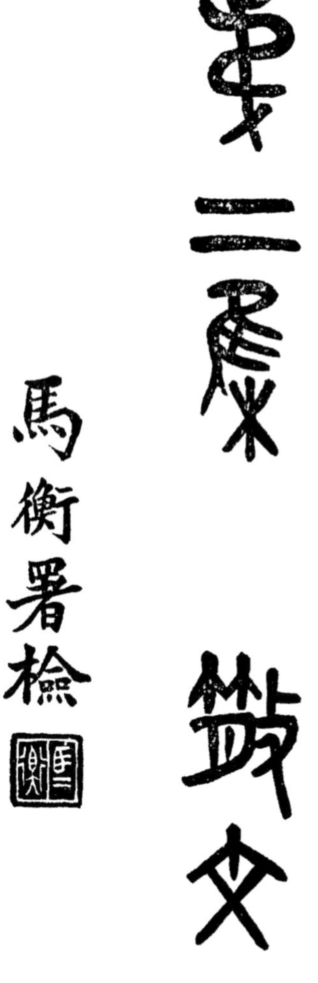
馬衡署檢

上卷

一朵薔薇

一個深秋的下午，澄碧如洗的長空，照着靜寂的太陽；百葉窗前的楊柳，也露出幾分秋態在西風裡簌簌作響；好像細語着天涯秋氣既經深透了人間似的。愛華這時，正坐在書室裡邊，對着案上的菊花出神；忽然一片黃葉，飛到他的窗檻上；他無意識地把牠拿來一瞧，不禁感着那落葉的漂泊，而聯想到生命的前途上去。剛想拈起筆來寫幾句小詩，記那一瞬的思潮，忽然房門呀的一聲，一個雜役進來說：「先生！電話」。愛華就赶快跑到電話室裡，去接電話去。

「喂！你是誰？」

「我是敏青，你是愛華嗎？」

「是的，有什麼事情？」

「今天C公園開游藝大會，你不來看看嗎？」

「遊藝會嗎？我前月既經看過一次了，覺得沒有多大意思。」

「雖然沒有多大意思，反正也可以消消悶，來吧！我在水榭等你，還有密司素雲和密司慧仙也一塊在這裡」

「阿！你和她們既經來到那裡了，好吧！那末你就在那裡等我，我一會就來。」

愛華掛上了電話機，就飛也似地跑囘房子裡；一面穿衣服，一面想想：敏青眞不寂寞，他還跟着她們來呢！呵，素雲自從那天見過後，現在也幾乎半月了。但那個慧仙呢，不是前囘素雲說是她的好友的嗎？今天碰着機會看看她們，也是再好不過的事，快去吧！叫了一輛洋車，便向C公園前進了。

壯健的車夫，田賽似地拉着車兒跑去，沒二十分鐘就到了C公園的門前了；無數的車馬，擁塞着園前的夾道，表示出今天的公園特別熱鬧的樣子。愛華下了洋車，進了園門，一直向水榭那邊去；穿過了矮柏夾道的小徑，遠遠望見柳陰下的茶座上，對坐着兩個學生裝束的女子，心想是他們了，但看不見敏青，却又遲疑了一會，那知道惡作劇的敏青，竟躲在石橋的大樹後邊，看見他來，便尺蠖似的在他的後頭慢慢地跟隨上來，他回頭一看，不禁相顧大笑，就一塊到茶座前去見她們。敏青把密司慧仙介紹給他認識後，才一塊坐下了談談……

慧仙是一個天真爛漫的女子，卵形的臉，覆着絲絲的亂髮，薔薇的頰，帶着微微的笑渦，似蘊藏着無限的深味；白晰肥胖和貴妃一般的肉色，秋水一般的眼睛，也好像包含了許多說不出來的情愫。這樣娉婷綽約如出水芙蓉一般的慧仙，不論誰見着也會生出無限的愛感的；而且她的言笑間，又時常帶着稚氣，格外有一種引人愛聽的魔力。

這時天色既漸近黃昏了。西天的夕照，快要和亭外的柏林接吻。浮着幾片殘荷的池水，也起着鱗鱗的微波，吹送一簇襲人衣袂的涼氣。敏青見着這樣的時光，漸漸令人不可久留，就提議向遊藝會場去看看。

他們一步步地走到社稷壇邊，看見觀客們都絡繹不絕地向園門的大道回去，知道各種遊藝既經做完了。到了會場裡，果然只剩些還沒做完的新劇。他們看了一會，看見黑暗之幕漸漸地籠罩着大地，也就不約而同地向回歸線上前行，這時大家雖然戀戀不捨，但沒奈夜魔緊迫，也不得不作暫時的分別。

『改天見，先生！』慧仙這樣說了一聲，便跟着素雲和敏青坐着洋車向西城去了。

噹噹的車鈴聲，響了幾下，一溜烟便看不見他們的影兒了。愛華站着呆望了一會，才叫了一輛洋車，孤另另地向宿舍裏回去。他的腦膜裡只覺得有『改天見，先生！』的嬌嫩的聲音廻環着。他想着今天的遊玩，到也很值得，會着一位與平日理想上不謀而合的女子，並且『一見如故。』他的飄蕩的心兒，不禁充滿着無窮的希望，

愛華本是一個富於情感的少年，他在中學的時候，既有情種的稱呼，而又爲着近來戀愛潮流的激盪，已成了一個愛之渴慕者了。忽然碰着這樣美麗而且多情的慧仙，那得不艷羨不置呢？所以自從這晚以後，總像攝影機似的印着了她的倩影，幷希望着她能够做他的密友。

過了幾天，忽然素雲寄給愛華一封信，裡頭還夾着一張水彩畫成

——53——

的薔薇花。說是：「這朵花是慧仙畫的，現在她想把牠繡成作這個學期的手工成績；但幅端還少些題詞，所以她叫我托先生給她題題。……」愛華讀了這封信，歡喜得雀躍一般，並翻來覆去地瞧着這幅薔薇，那秀勁的葉脈，鮮艷的色彩，越顯出畫法的美妙，他因此又聯想到慧仙的容貌，覺得這朵薔薇的顏色，就是她的對照，愈覺得這畫的可愛，恨不得把牠吞下去。

愛華在案前呆看了那幅畫以後，又三番兩次地在那裡猜想：「她怎麼知道我會寫字題詩呢？這大概敏青曾對她說過吧！但是，她又爲什麼偏要畫這薔薇而不畫別的花呢？薔薇不是贈情人的禮物嗎？這幅薔薇雖然不是贈我的，却也是叫我題的，大概她含有好意吧？哈哈！這慳命人，這慳命人，能够消受這艷福嗎？他想到這裡，又不禁起了一種難名的希望。

——54——

——但是，這可怎麼題呢？題新詩好還是題舊詩好呢？寫八分體好還是寫行草體好呢？要是題新詩又恐怕不合題畫的常式，寫八分體又恐怕失於板滯，還是題舊詩寫草字吧！他決定了以後，就極誠懇地題上這麼一首詩：

「一枝玫瑰倚欄干，艷勝羣葩色可餐；妙手描來真妙矣，幾回疑作活花看。」題了以後，又寫了一封短信回給素雲。

「素雲女士：

謬承不棄，以慧仙女士所畫之薔薇托題，捧讀之餘，不勝慚愧！自念襪綫才疎，塗鴉手拙，曷敢以詞翰自期？惟既蒙青睞，亦祗得效顰報命耳。所幸慧女士技擅描鸞，術工繡鳳，或亦能琢璞為玉，點鐵成金也。敬頌

學安！」

愛華

過了兩天，忽然愛華接着一封上面寫着「慧緘」的信，拆開一看，是慧仙報謝的一封信：

「愛華先生：

蒙先生大筆，題來錦詞妙翰；韓風杜格，柳骨顏筋，令拙畫薔薇增加無限春色，感謝良深！昔張僧繇畫壁龍，點睛則雷雹飛騰，破壁飛去，拙畫雖有畫虎類狗之嫌；然既得先生點睛妙筆，他日裝諸鏡匣中，即不能破壁飛去，亦當破鏡而開矣。臨風報謝，並祝

秋祺！」

慧仙

愛華看了這封信，如同吃橄欖一般，愈嚼愈有滋味，他覺得慧仙

且是一個了解藝術而又極有文學趣味的女子，連忙就覆她一封討論藝術的信，自這封信回覆以後，他倆便不絕地通信，走上研究學問之途了。有時她還寫了許多疑難的問題和她自己的主張，叫他答覆。然而愛華有一種自信的根性，常不肯犧牲自己的主張去遷就她的意見；他倆也曾因小小的意見，筆戰了幾次，但他的自信的根性，終於克服了她而奏了凱旋。從此以後，他倆愈了解了，愈愛慕了。每碰着禮拜天，他倆總有一次的會面，並且每次相會，只恨時光老人，不把那六點鐘就晚的冬晷拖長。

一天復一天，他倆的愛情愈厚了。痴情的愛華，也就不覺走上了情網而大變從前念書的態度了。從前每課要記的筆記，現在也無心記錄，休息在案上了，課堂的中間，有時也看不見他的踪跡了，就是有時上課也總『心猿意馬』地連教員講到那裏都不管了。甚至吃飯睡覺的時候，也總覺得有一件絕大的事，旋轉着腦端。

一天正是十月中旬的一天，碰着大雪初霽的時候，槎枒的樹枝，鱗鱗的屋瓦，還罩着白銀似地雪花在清朗的天空裡，發出晶瑩的閃光。愛華看了這樣清冷有趣的雪景，覺得是來京以後第一次的佳遇。他獨自地走出宿舍，在滿堆着雪花的馬路旁踱來踱去；並聯想到孟浩然踏雪尋梅，王子猷雪夜訪友的故事；他不禁無意識地走到平常往慧仙處所必經過的道路上去了。於是他的心裏，又感覺到一種寂寞的悲哀，不由得叫了一輛洋車，跑到慧仙的學校裡去看她去了，

他站在她學校門前，逡巡地不敢遽然進去，並自笑他自己爲什麼這麼涼的天氣，都走到這裡來呢？假如見了她，不會把痴子的徽號加上了嗎？但是他的理智的圍墻，終敵不過感情的衝決，便又鼓着勇氣，走到號房裏去了。

「找誰？先生，」

「我找慧……慧仙女士。」

「她是你的什麼人？」

「她是我的親戚。」

「那麼你先這裏等等吧」

號房進去叫她以後，他在接待室的玻璃窗邊佇望着；并希望她赶快就來，這時他等在那裡，覺得一分鐘的時間，都比一點鐘還長。

噠噠而來的步聲，使他幾次疑作她，探頭一看，却是一個雜役。聽了兩三次這樣的步履聲後，才聽見革革的鞋聲，增加了來時的速度，再走出招待室門前一看，果然她笑嘻嘻地來了，接着便把手指點着她自已的嘴唇問愛華說：

「暖喲！我眞想不到你會來呢，這樣下雪的天氣，你不怕凉嗎？

—59—

」

「哈哈！我不冷，我今天乘着大雪之後，看看天氣這麼清朗，我非常高興，不知不覺竟跑到你這裏來了，你還有課沒有？」

「課嗎？雖然還有一點鐘，我却不願意上了，我們還是出外邊去玩玩，賞那雪中清景吧！」

「好！你已先得我心」，那麼我們到C公園去吧！」

她回去寫了假單，便和他向C公園去了。

這時街上的積雪，既經溶化了許多，濕得如雨後一般。唧嚼唧嚼的車行聲，好像在那裡譏笑他們爲什麼這樣嚴寒的天氣都冒雪出去似的。

到了C公園，一片凄清如南北冰洋的景色，突現着眼前，蓊鬱的古柏，也靜悄悄地聽不見一聲噪林的鳥鵲；山邊水樹，也看不見一個

——60——

遊人，假如沒有他倆在那裏點綴，簡直如同太古時代的寒林一般。他倆一面踏雪，一面念着古人詠雪的佳句；有時記了詩中的警句忘却了全詩，有時記了全詩而忘却了作者。他倆各背了好幾首，就說定試一試誰背得多，誰背輸的，誰吃一口地上的雪花。

原來愛華是一個受過詩的陶冶而且曾經做過的人，所以他對於自然界尤其對於他生長江南所很少賞過的雪，特別地喜歡，在他童時讀古人咏雪的詩的時候，常恨不得生長北方，去做那孟浩然王子猷一般的韻事，現在既然來到北方，不但能做王子猷之雪夜訪友；孟浩然之踏雪尋梅，而又能得到旨趣相同的愛人在這裡聯吟賭詩，也未嘗不是一番韻事，覺得這樣清而且艷的幸福，眞不知幾生修到？他想到這裏，又不禁顧盼自雄，露出得意的微笑。

她看見他微笑，便急問他笑個什麼，他只說就是想起賭吃雪花的好笑。這時他倆既經走過柏林兩週了。忽然一陣寒風，吹下了柏枝上的雪花，銀屑似地一片片飛沾着他倆的衣帽，點綴得好像舞女的華服，嵌着光芒閃鑠的金鋼石般。而黃金色的夕陽，也漸漸地被寒風吹沉了西天深處，他倆覺着身上有些涼意，就走進咖啡店裏去吃小點。

熊熊的爐火，蒸滿了室內的熱度，把他們衣帽上的雪片頓時溶解成水珠。他倆各脫下衣帽，圍坐着火爐取煖。她的肥白的兩手，時不時在爐上熏炙。坐了一會，覺得身上的體溫漸漸增加，而她的嬌嫩的兩頰，也漸漸地浮上了霞紅。

一會兒點心弄好了。他倆就到枱子前對坐地吃着，在這光亮的電光影裡，發現了許多從前不曾注意到的美點來，櫻桃般的小唇，托着光亮如貝的皓齒，蘋果般的嫩頰，綴着圓形的笑渦，每在吃東西時格外明顯；裸頸的絨線外衣，極工整的花紋，隱隱中有些高聳起的，也有向內彎曲進去的；而肥秀如凝脂一般的粉頸，愈顯出她筋肉發達的美徵，增加無限的嫵媚。他得到了她這些美點，才覺得他既得着「燈下看美人」的實驗，不禁把叉子擱着齒間，連食物都忘却了攫取。

她看他這樣發痴，只笑瞇瞇地攫了一個蛋糕，送到他的口頭。

清圓的月亮，既經穿過了林樹，走入玻璃窗裏去窺他倆的秘密。她抬頭一看，才知道冷寂的C園既經入了夜神的管領，並覺到今天的晚歸，又免不了母親的悵望。她的堆着微笑的芳顏頓起了幾分恐怖。

「呵，這冷寂的冬夜，幽靜的園林，我很願意在這裏徘徊，多嘗些冷艷的滋味。」

「你是可以，我可不成。」

「爲什麼呢？你我不是一樣嗎？」

「就是不一樣，你還不知道我的家庭嗎，我的父母雖然是很愛我，可是他們總不喜歡我們青年男女的自由交際，尤其是在晚上，假如他們知道我們，一定戴着禮教的眼鏡給我多少說話的」

「那怕什麼？我們的交際不是很正當的嗎？我們的交際不是很應該的嗎？俗話說得好，『樹頭把得穩，不怕樹尾搖。』

『是的，我也常常這樣想，不過他們是不跟你這樣說的。』

他倆對說了這些說話，既經走出了園門了。他叫了兩輛洋車，送了她回家後，才一個人回到宿舍來。

到了第二天早晨，她打了一個電話給愛華說：『昨天回去什麼都好，只是我的母親曾問我爲什麼今天歸得這麼晚？我便答她到密司尤家裡去玩。但是她總有幾分懷疑。』

他聽了她的電話就這樣地對她說：『那麼我們以後就不要玩得這麼晚了吧！只要時常見見面就好了；免得她生出什麼懷疑來。』

他於是每碰着下午沒有課的時候，就乘輿去會她一面，覺得他一天的困倦，都飛到九霄雲外去了。

一天下午，愛華的手錶，停了復行，竟把四點鐘的短針，仍指在三點的字碼上，他赶快跑到她們的學校門前去會她，但是等了整個鐘頭還不見她的踪跡。再看她們的學校的門前，既經沒有一個人出入了。他急的不得了，便又沒精打采地走到她家門前去，又只得了一碗閉門羹。他在她的門前踱來踱去，好像找什麼失了的物件似的。她的鄰居看見了他，都眼睜睜地怪視着。他恐怕他們窺破他的秘密，就故作正經，掉頭不顧地走了。

黃沉沉的夕陽，籠罩着無幾的灰塵，增加了許多失望的悲哀，弄得愛華好像日暮的嬰兒，見不着他的乳母一般，倘若那時不是怕街上冷酷的人們的譏笑，我想他一定可以和嬰兒一般地哭出聲來。

他載了無限的悲哀，走回宿舍裡去，行也不安，坐也不安，連晚飯也不想吃；只躺在椅上悶氣。他恨他的不終用的手銃作惡劇，悞了他的佳會，恨想把他摔在地上，弄得碎身粉骨。

他經過這回的失望，他的愁絲織成的心版上，既經鏤着不少的悲哀之痕了。然而舊恨新愁，正如春江的潮水，她的報告回家的信子，又一聲霹靂，從天外飛來了。

「愛華吾愛：

我要和你小別了，我要爲了環境的支配和我母親回家了。你知道我回家的來由嗎？我的父親自從前月娶了那個姨太太後，他就不喜和我的母親同住了。他決計要我母親回家去看看我的老祖母並整理祖先的墳墓。我的母親聽了他的話，也很願意回家去。但我是她的最愛的女兒，也是她的安慰者。她離不了我，猶如我離不了你，所以她要我跟她回去。我爲了你本不願意回家的；不過念着母親一個人孤另另地往來旅路，未免過於寂寞，所以終究爲她的使命所征服。

但是，我是離不久你的，只要桃花開時，又是我倆重相聚會之期了。吾愛呀！請你不要掛念吧！

我的歸期，既定在後天的早車。如果你明天有空，就請你出來和我一談，我在學校裡的接待室裡等你，祝你在愛河裏沐浴！

慧仙

——愛華讀了這封信，如同吃着黃連一般，苦得要命；他想想：——悲哀之果，眞是披着一層層的堅殼剝不盡的呢！我和她正如薄霧之與月亮，朝霞之與旭日一般的時候，怎樣離得開的呢？唉！甜蜜也是她給我的，痛苦也是她給我的，算了吧！我既得了愛之教訓了。

到了第二天午後四時，愛華走到她的學校裏，她既經在那裏等着了。他倆見着面，說了幾句寒喧話後，便默默無言地相對着。後來兩人的眼眶都紅了，他才開始問她說：

『你眞回家的嗎？』

『眞的！你以爲我哄你的麼？』

『你回家以後，到明年二月一定回來的麼？』

『那一定回來的。』

『但是，我希望你回去以後，要常常來信。』

『那一定的，我也是一樣的希望你。』

說了這些話，他倆又談了些家庭的瑣事，並年假時預過的生活，才各自回家去。

慘淡的孤燈，照着愛華的愁顏，有時撲撲地作聲，把火燄伸縮着似替他大惜的樣子。他奈不過這般煩惱，也就勉强解下寒衣，輾轉反側地走入睡鄉去了。

明天早晨，他聽到一聲喚醒的汽笛，就心房跳个不住如芒刺在背一般。赶快起來，恐怕送車的時間過去，連漱洗都沒弄完，便叫了一輛洋車，向東車站去了。

愛華走到車站，還沒看見她。等了一會，她才跟着她的父母和姊姊及其他朋友們來了。他本還沒有認識她的父親和母親，又不敢親到車裏去談談；只得在車外踱來踱去，故意使他們看不出是送她的人。但是他的心房跳了，他的眼眶紅了，再抬頭向她一看，而她也顯出欲哭的樣子，他倆的眼淚遂不由得奪眶而出了。這時在她的父母和姊姊及其他友人們看來，就以為她的眼淚，是為着分離他們而出的；那知道覺爲了車外徘徊的愛華而出的呢？唉！這也是禮教的罪惡，使他倆真摯純潔的熱淚，而不能表白於羣衆之前！

一聲汽笛，叫出長嘆的哀音，而車窗裏流着眼淚的她，也就悲哀地走上悲哀之途了。這時沉寂的車站，只剩些愁雲慘霧繚繞着無限的悵惘……煩惱……和悲哀……

——一九二四年三月——

清明節郊行

隔林遙聽鷓鴣鳴，剛値清明雨又晴，十里鵝黃看不盡，六朝螺黛望中生；鴨頭新漲波千疊，牛背斜陽笛一聲；開道南鄰醪正熟，杏花深處倒金罌。

曲水流觴三月三，東風吹綠遍江南，黃鶯啼處春光滿，畫鷁飛時醉與酣；柳栢風清人試馬，花天日暖市宜蠶，年年此會西湖畔，鬢影裙腰一帶藍。

——70——

杜鵑的悲哀

正是『困人天氣日初長』的時候，習習的薰風，吹遍了酴醾的香氣，一鈎殘月，正掛着西山的林杪，懶懶地放出慘淡而且沉鬱的餘光，斜照着落紅滿地的林園。這時除了麥田裡時不時撲羽的雉鵻的微聲外；只有那滿腹悲哀的杜鵑，把牠的悲歌在那桃枝上不住地亂啼：

春呵！春！

我的胸爲你而燃燒的，

我的歌爲你而響亮的，

但是，春呵！

你既有心給我以桃花妹妹，

爲什麼又把她萎謝？

唉！

我的淚泉涸了，

我的愛苗枯了，

我的愛之花竟埋着淨土之中了。

春呵！春！

從今後，

我只好把沸騰着我心頭的血；

去灑她的墓草了！

剛啼到最激越的時候，忽然黃鶯從綠柳中出來了，合了合他的惺忪的睡眼，驚問着杜鵑說：『鵑哥呀！你爲什麼啼出這樣沉痛而不堪聽的悲音呢？難道你的桃花妹妹，有什麼不幸的事嗎？』

杜鵑搖一搖牠的頭，打開他的朦朧的淚眼說：『唉，鶯哥！你還不知道薄命的桃花妹妹，早既萎謝了嗎？眞不幸阿，眞可憐阿！我爲了她既把滿腔的赤血，都化爲碧色的了。

黃鶯聽了杜鵑的說話，便安慰他說：「鵑哥呀！請你不要這樣悲哀吧！春是還會來的，花是還復發的；只待來年，便可再覓一枝，去重賞那無窮的艷福，靜靜地待吧！幸福之園，終够是愁人的樂地。」

杜鵑聽了黃鶯的勸語，便又遲疑的說：「哦，鶯啊！春雖然還會來，花雖然還復發；可是明年的春園裏，既找不到我那枝既愛上的桃花妹妹了。唉！孤獨的我啊，只有啼是我的安慰吧。唉！不堪回首啊！舊事重提，教我怎樣難過呢？鶯啊！你還記得我同桃花妹妹的經過嗎？當那青帝戴着彩色的羽冠，曳着碧紗的裙裾，露着明眸皓齒，堆着愛的微笑的時候，青春之酒，正排列着我的胸前，和暢的春風，先吹醉了桃花妹妹的笑臉，歡迎我於萬綠叢中，我也不覺飛上了她的枝，覺得她的艷冶的豐姿，綽約的嬌態，眞是羣芳中不可再得的了。那時我被愛火燃燒的胸頭，也不禁發出響亮的歌兒，在青帝之前高唱，一切蜂儔蝶伴，都非常羨慕地在那裡側耳靜聽，唉！那時的樂趣，眞比你和柳姑娘的更多呢！誰知愉快的歌聲，竟會變成啼血的哀調？』

『唉，鶯呵！我記得有一天正是月圓的晚上，滿地照着無限的清光，漾着晶瑩的愛流，百花們張着臉笑，都放出醉人的芳香，惹得紛紛的蜂蝶們、都在那裏跳舞，我也不覺又唱起我的響亮的歌兒，却引起花郁的犬，都在那裡狂吠着。但是我爲了那晚的花光和熱愛，也不顧牠們的狂吠，只在桃花妹妹的懷裏，不住地唱到晨曦散着金光的細髮，朝霞笑紅了東方的樹林的時候才止。唉！誰知自那天以後，便霹靂一聲，從無情的春風裏送來桃花妹妹的噩耗呢？唉！紅顏薄命，夫復何言！』

『唉，鶯呀！自從她萎了以後，我的嘹亮的歌聲終止了。夭桃根下，忽然換了悲哀的啼聲。在這灰色的世界裏，我幾不知何時白晝變成了黃昏，黃昏變成了黑夜。到了現在，我也不知什麼時候呢；我祇覺得我起初啼的時候，眼腔裡還貯着盈盈的淚珠，過了一會，那淚泉就漸漸地涸下去了。現在呢，只有些呌不出的斷聲，滴着點點的碧血。』

黃鶯聽到這裡，也不禁皺了皺牠的小額，撥一撥他的翅兒，表示驚訝的意思，并好久不作聲說，『唉，鵑哥！我沒有聽到你這說話以前，我只知道勸你，我已聽到你這說話以後，連我也害怕起來了。我們都是愛河裏沐浴的呢！倘若我也萬一不幸處了你的境地，又將怎樣地悲傷啊？唉！人生眞不知如何究竟呢？燦爛的春光中，正播着無限的悲哀種子……』

黃鶯的話還沒有說完，忽然撲地一聲，一個貓頭鷹從叢林中飛將出來，凝視着他的瑩瑩的青眸，大聲地說道：「鵑哥呀！我聽了你的泣訴，我也忍不住要出來了。前些日子，我雖然曾聽過你的啼聲，却不明白你的底細。現在聽了你和鶯哥說的話兒，才明白你的啼的來由呢！唉！萎了的花兒不可復生。只得再覓一枝吧！」

這時殘月既經落去，四圍籠罩着黑暗和沉寂，遠處荷塘，忽送到一簇破蕚的香氣，似給些安慰的芳訊。貓頭鷹便又興奮地說：「鵑哥！消極之途，終是黑暗的牢獄，請你千萬不要因桃花妹妹的萎謝，便甘自投黑暗啊！我們都是開着希望之花的呢！應該努力上積極之途，從黑暗裏去找光明，現在的世界雖然黑暗，我的眼却是特別光明，前進吧！幸福之園在前啊！」

杜鵑聽了貓頭鷹的說話，便又搖着頭兒說：「你的好意，我是很

—76—

感激的；不過稚弱的我，實在再沒有勇氣去努力前進而決定固守着桃花妹妹的故枝了。』忽然東方橫佈着一片淡雲，一線白光從雲裏透出，貓頭鷹看着白日將臨，不禁駭然奮翅飛去。黃鶯看着杜鵑堅決的意思，也接着和牠告別而飛向綠楊深處去了。

在淒清空寂的曉園裏，依舊只有滿腹悲哀的杜鵑守着滴着殘露的桃枝。

——一九二四，碧桃花謝時。——

初夏雜咏 八首

落花片片報春歸，不覺南風入牖吹；書就綠章迎首夏，清和猶未換單衣。

困人天氣日初長，引睡書拋石枕旁；不覺園葵花又放，西窗終日對斜陽。

休恨春光昨已歸，薰風幾度入羅幃；園中不見太常蝶，乳燕階前作意飛。

綠槐夾道午陰清，一片朱曦照眼明；閒倚北窗高枕臥，此身疑是葛天氓。

半窗濃綠鳥相呼，淡靄輕風入夏初；手把山經隨意讀，儵然吾亦愛吾廬。

黃雲滿地麥將成，簌簌新篁解籜聲；正是夏初天氣好，葛衣輕便出江城。

新筍初成談玉版，嫩茶再熟捲槍旗；一年長晝君須惜，正是蠶眠續臥時。

暗風疎雨釀黃梅，簾捲西窗爽氣來；讀罷離騷倚庭樹，白雲不盡興悠哉。

—78—

最後的勝利

建生是一個富有熱血而勇於改革的少年，當他在中學畢業而回到家中度歲的時候，常常討厭家人吵鬧賭鬥的聲音，而起了改革家庭的念頭。過了數月，恰巧就碰着「五四運動」；自從這次運動起了以後，那些文化運動，社會運動，婦女運動…………等等名目，也就接踵而起了；一時鬧得昏天黑地，聲浪震乎全國，而這個改造家庭的運動，也就不能不應運而生了。這時建生歡喜得了不得，那久蘊心頭的積愫——改革家庭的念頭，也就不覺如箭在弦，有一觸卽發之勢，而變爲一種高聲的呼喊了。

在這時候，天天離開學校，走到鄉村去演說，把那些改造社會，改造家庭的理由，說得淋漓盡致；可是這種呼聲 直弄到唇焦舌敝，舌敝，總收不到什麼效果，於是他就知道舊社會思想的頑固，非用言語所能補救，遂回轉頭來，換了個「以身作則」的宗旨。

健生既抱定了「以身作則」的宗旨後，他自然就要向改革之途去奮鬥了。他想想——要改革家庭，第一步就要從改革婚姻做起；因為婚姻就是成立家庭的元素，假若婚姻不良，那能夠實現改革家庭的思想，而成為幸福的家庭呢？況且家庭是將來的新生活，是應以精神的愛結合，而彼此互相吸引，互相幫助，及互相依倚，以謀現代的幸福，及次代的進步的；如果共同組織家庭的人不好，那能夠生出愛來？原來家庭的生活，就是「愛」，沒有「愛」，就沒有家庭，「愛」，不但是組織家庭的原動力，也就是維持家庭的支柱。託爾斯泰 Tolstoi 不說過嗎？『充滿了宇宙，只有一個愛字，』太戈爾 Tagore 不也說過嗎？『凡物都是由愛而生，被愛所維持，向着愛而進步而入於愛的領域』，宇宙如此，生物如此，家庭又何常不如此；他想到這裡，不禁高聲拍案，恨不得即向家庭去改革。

（二）

原來健生是一個大家庭裏的「分嗣子」，他的祖父，只生下他的父親兩個兄弟；當他未出世之先，他的伯母，也和他的母親，同時懷着娠，可是他的伯父，不幸在他出世後一個多月，就患着肺病走入黃泉之路去了；而同時他的伯母身上懷着未產的嬰兒，也就不幸的變成了遺腹子了；可是天公偏隨可憐人，等到他的遺腹子出世以後，不到五天，那遺腹子又跟着他的父親走入陰府去了；當時健生的伯母，痛不欲生，幾致同歸於盡。他的祖父，爲了要安慰這個新寡而又新孤的媳婦，就把健生分嗣給她；並且另外找一個「接乳條」的女孩綺鳳，做他的唯一安慰者。

數年以後，綺鳳已經長得和健生一樣的高大了，而且長得很伶俐；他的祖父，因爲看着綺鳳長得不錯的緣故，就一聲聲說給健生做伯父那房的妻子，當時健生很小，只得聽他說說罷了，就是健生的父母，爲着家中已有一個的緣故，也不曾再行給他去定婚。再過幾年，他的祖父去世了，健生也已經長大了，和綺鳳結婚的時期也快要到了；然而這時因爲時代潮流已變遷，他的思想也早既隨着變遷的緣故，而這個不合思潮的兒戲婚姻，也就只合做健生改革家庭的唯一張本了。

這時健生正在中學四年級，他想清了這種不合理的兒戲的婚姻應該推翻，而爲改革的初步後，他就立刻寫封短信，給他的父母。

「我的親愛的雙親：

現在有一件很重要的事情，要向你兩位老人家說的，就是我們的婚姻事情。婚姻自由，到了今日，已成天演公例了；誠以婚姻是一生幸福所關；如果不得當事人的同意，是絕對不成的，現在不要說什麼，只要查查大理院的判例，也就可以明白了。民國五年統字第四五號解釋：『定婚須得當事人同意，若定婚時未得兩造同意；如一造訴請解除婚約，亦無強其成婚之道』。照這樣看來，那末我們的未得兩造同意而純由祖父口頭包辦的婚姻，是應該取消的了。雙親呀！天下最大的罪惡，就是強不愛以爲愛，愛倫凱女士也說過：『沒有戀愛的婚姻，就是不道德，』唉！我眞不願冒這「不道德」之名呵！

照上面說來，我們的婚姻，固有取消的必要；就照舊社會裡的禮教看來，也該不能成立。依舊社會裏邊，定婚是先行「六禮」的，我和倚妹，並沒經過「六禮」的手續，這樣既不適於今，又不符於古的口頭婚姻，想不論何人，也該不敢承認的罷！難道如雙親之明白者，還有不「獨照無遺」嗎？

倘若我和綺妹的確有婚姻之愛，那古禮之曾否經過，都是不成問題的；因爲世界上戀愛的婚姻，都是以兩方的人格爲憑，而不必講什麼儀式。然而我和綺妹，是絕對不能生出性愛而成婚姻關係的了。我和她不過是有姊妹之情而已。雙親呀！我現在只認綺妹是姊妹，而且千秋萬世都只作姊妹；如果要我和她生婚姻的關係，那我只有脫離家庭關係而甯願漂泊於天涯地角了。雙親以爲如何？請即給我一個回音！

兒健生上

健生的父母，接到這封信，好像聽了一聲霹靂，從天外飛來一般，不知苦得什麼似的；好在她的父親是教育界裏的開通人；並且知道婚姻是應當憑當事人的自由而非可以強迫的；況且他又常常看到報上因受舊式婚姻壓迫而致自殺的青年，所以不由得害怕起來，快快地勸告健生的母親和伯母、給健生一个同意的回音。

健生接到了他父親的回信，喜得雀躍一般，一方面矜誇他自己的奮鬥成功，一方面感激他父親開通的答覆；以爲自今以後，已脫離愁苦的樊籠，而可以自由地高飛着幸福之園了；那知道幾天以後，又接到他父母一封來信說：「……你年齡已到結婚之期矣，已不願與綺鳳成婚，亦可託人另定，俟兩方同意後，再行……」自從這個消息傳出後，不到幾天，果然陸續地就接到十餘張「庚帖」，有的是女子高小的學生，有的是富家的小姐，健生得了這些「庚帖」後，心裏又無端的加上一個問題。

本來健生自從受過新思潮的洗理後，他是一意主張戀愛結婚，而造成一個理想的新家庭的；可是在這種環境之下，是不能不稍稍承受他的父母的意見了；況且現在他的父母又說由他自己去選擇，那末比從前只由他的祖父的口頭包辦，總好過百倍了，健生爲着這種使命所驅使，所以不得不服從他的父母的命令。

十餘天後，那所有送來的「庚帖」，或允許他到家去看，或由月老寄來照片，到了最後，他看中了一個L家的姑娘，那姑娘的年齡才十五歲，長得也很美麗和活潑；可惜從來沒有進過學堂，只在家裏讀些烈女傳，和女兒經一類的書；當健生和她見面的時候，他也曾這樣地想想——這個姑娘，雖然沒有進過學堂；可是年齡這麼小而且生得這麼聰明；倘若她的父母肯允許和我一塊出去，也未始不可補救。——誰知道天下事不能如意者竟十常八九，當健生把這意思叫月老說給她家聽聽的時候，而她家竟以『女兒只要能寫簿帳就够了，不必再進學堂……』等等句話答他；健生聽到這些話兒，氣得滿腔憤懣，立即向月老辭絕。

這時已到了酴醾四放，榴花照眼時了；江南的風景，處處都表現出青帝已回，亦帝初來的樣子，而到了舉行畢業考試之期了。學校裏邊，也處處瀰漫着出外留學的空氣，更無端地增加了健生的慌張。原來健生就學的唯一地點就是P埠的N大學；但是她的故鄉離P埠幾有數萬里的長途，而N大學的考期又相距甚近；在這時間和地點成反比例的環境裏，當然預備行裝都猶恐不及了，那還談得到婚姻之事呢？所以他一經考完了試，就百事不管地，走上萬重雲水的旅途。

當健生離家的一天，他的父母爲着這重婚事沒有成功的緣故，也表示極不滿意的樣子；然而事既無可如何了，健生雖然知道他父母是爲着這事而不歡，也想不出什麼安慰他們的好話，只得把『關於兒身的事情，請大人放心罷了』一句話，顫着聲帶地向他的雙親說說。

（三）

健生已走上了旅途，嘗了幾多不曾嘗過的旅中滋味，腦海裏雖充滿着無限的悵惘與煩腦；然而每走過了一個境地，總覺得增加了不少的新鮮印象，最足以觸動他的眼簾的，就是S埠和N埠的一對對攜手同行的青年男女；這種印象，不禁使他由羨慕中生出了無窮的希望。

他到了P埠，隔N大學的考期只有一天了，好容易那素稱難考的N大學，竟被健生不經意他考進了。健生考進N大學後，事事都覺稱心，只有一个尚未解决的問題，就覺得日夜都盤旋着他的腦海；由是健生一面讀他所愛讀的書一面行他的社交主義，不到三年，竟認識了五個密司了。那些密司，都是很喜歡研究學問的，或談詩詞，或講書法，或考究音樂和圖畫；而他最喜歡的一个，就是他最後結交的密司C

C是一個天眞爛漫，活潑美麗的女子，極喜歡文學和美術；而音樂尤其擅長，健生和她結交後，已覺品性相投，又覺旨趣相合，數年來的理想中人，竟於無意中遇着，自然是非常地愉快了。就是密司C方面，爲着性情旨趣相合的緣故，也待他特別地眞誠，完全以心腹相示。不到一年，竟走上了戀愛之途，而訂了白頭之約了。

健生已和密司C訂了婚後，就各以學業相勗，向勤勉之途努力，希望走出社會以後，能够爲社會造益，而不致有坐食之虞；所以他們除了禮拜天會面一次外，其餘的日子，都只有通通電話而已。

他倆在那人煙稠密，紅塵萬丈的P城裏，絕不到那齷齪繁華的場所，只有碧桃花下，柳柳陰邊，才可以偶然見着他倆的踪跡；朋友們看見他們，都羨慕不置，大有「只羨鴛鴦不羨仙」之感。

光陰易逝，眞似白駒過隙一般呵！曾幾何時？就到了他倆大學畢業之期了。他倆畢業後，就開始組織家庭；並議決離開P埠，回到H城去過那理想的家庭的生活，而實現他『以身作則』的素志。

他所以要囘H城的宗旨，第一，固然是要實現他素來『以身作則』改造社會的素願，第二，則在提倡教育，灌溉文明。原來健生是一個極明白人生義意的人；所以他已不想做什麼高官，也不想得什麼厚祿，只圖『自我保全』，和『種族保全』，以盡他們個人對社會對人類的『人職』Eumanhocd 和『父職』Eatherhccd 的責任罷了．就是他的夫人，也極贊成他這種宗旨，所以他們兩人，都向社會方面去做那人類神聖的工作。

他倆的宗旨，既注重工作，那末他倆就要開始向社會去謀活動了。他們極力從事拓張H城的男女教育，一方面在學校裏担任教職，一方面到社會上去籌欵，以創辦那H城裏未有的高級中學，職業學校，和女子師範學校…………等等，他倆既定了這種工作以後，就在H城外找個風景清幽的地力，以作他倆棲身的小家庭—新的小家庭。

一所不甚高大而極其幽雅清潔的洋房，正建着小溪上面，屋的四圍，高蔭着陰濃的榆柳，和拂簷的修竹；屋的上面，還繞着數畝平疇，大有『一水護田將綠繞』，『萬綠叢中露一樓』的景象。在那小溪的當中，還錯落着無數的晶瑩小石，溪水泠泠作響，很像『白石清泉相激鳴』的境地，溪的兩岸，還種着許多楊柳，一線綫的柔枝，常倒拂着波光和那溪裏的水石相接吻，這樣圖畫一般的清境，正適合他倆喜歡文學而兼美術的棲息。

那房子的建築是一個凹字形的兩層的洋樓，大小不過八間，四面的百葉窗，極合光綫的分配；他把這八間的樓房，佈置得極有次序；樓上東西兩邊前頭的房間，就做他倆的讀書室；後面兩間就做他倆的凝室；中間一個，就做他倆的音樂室，左邊放着一架 Piono ，右邊放着一架organ，中間架着一把Violin，那Violin的兩邊，還架着許多中國樂器如琵琶，月琴，和笙，簫，笛子之類：樓下的東邊一大間，做客廳；西邊一大間，做會餐室；中心一大間，做他倆的成績陳列室；所有他倆的手工，日用品，美術品，和發明製造品，都陳列在裏面，洋房的左邊另外建了一所厨房；厨房的後面，就是用人的住所。在屋右的竹陰裏，又建着一座用白鐵蓋成的六角亭子，叫做『暢觀亭』，每當月白風清之夜，就做他倆做詩論學的地方。

那屋的後面，還開闢一個運動場，鋪着如茵一般的綠草；每當公餘之暇，就拿着一個球拍，在夕陽影裏作有趣的賽球。屋前的路旁，還栽了許多矮矮的冬青樹和藤本的蔦蘿及龍鬚草之類的花草：這樣設備完美，清靜幽雅的新家庭，那得不令人羨煞！

他們每天九點鐘到學校去辦公，到下午五點鐘回來，當他們還沒回來的時候，各人的心裏都覺得蘊着有日子太長，恨不能叫時光老人把日晷縮短，以便早些回家的樣子。到了吃了晚飯以後，或到暢觀亭去談談天，或到音樂室去弄弄琴，或高聲地唱着樂歌；他們一天的困頓，差不多都在這琴聲歌聲裡消盡了；有時候還翻譯些書籍或做做創作。這樣饒有人生趣味的家庭，眞是幸福的新家庭呵！

他們生活在這幸福的家庭裏，差不多沒有些煩惱和悵惘；因爲他們完全以眞誠相見，放棄一切私有的觀念；所以他們夫婦之樂，雖歷寒暑而不變。至他們的家庭經濟，也預算得極適宜，彼此所入的利息，純用公開態度，儲蓄在家庭經濟儲蓄處，沒有一毫私有的出入。他們又把各人每日所入之欵，分途應用，除四分之一作爲整理房舍增補器具和一切家庭雜用的外，其餘四分之一就作應酬及娛樂之用，剩餘之欵，除給他們的父母作養老費及兄弟們求學的補助費外，一概歸於家庭經濟儲蓄處，以作將來兒童的教養費。至於他們家庭裏的僕役，

——93——

都完全用平等的待遇；且每天的工作，都有一定的時間，到了暇時，就灌輸他們一些日常的智識。

這不過是他們家庭的組織能了，至於他們的家庭生活，完全是富有人生藝術的；除了家庭娛樂之外，一碰着春秋佳日，他倆就要携着畫具到山水幽勝的地方去享受那水光山色，而描寫那清麗的風景；與之所至，有時竟忘了吃餐，踏着月影囘來。

到了每月的末一週的禮拜天，還要邀集村鄰開一次家庭娛樂會，或唱唱歌，或彈彈琴，或跳跳舞，或做做各種遊藝；並乘這機會，把一切家庭常識，都講給他們聽聽。

碰着春秋二季，還要開一個家庭展覽會，邀集鄉鄰來參觀；並把一件件的家具的製造及用法，告訴他們——觀衆——像那烹飪和園藝的種種智識，更不遺餘力地告訴他們，他們不但信仰，而且神仙一般地羨慕他們的快樂家庭。

（四）

一年以後，他倆的愛之結晶出世了。在這個生育期內，他的夫人只得向學校裏告假，而另外請人代理職務。他的夫人，是極善於保育兒童而且極能盡她的天然的「母職」motherhood 的；她的嬰兒，她絕不肯假手僕役和奶媽，她常對人說：『僕役盡是未受過教育的人，既不諳兒童的保養，又不知兒童的衛生；且兒童富於模倣性，一和沒有智識的人接近，就恐不免爲所薰陶了；』所以她一定要自行保養。她平時極反對近來一般忽視家事而專作家庭以外的活動的女學生；並且常常對人說：『我們的家庭，就是社會的單位，』既是社會單位，那末家事也就是社會的事，又何必輕視家事，而偏要做家庭以外的事，而不作普通的勞動呢？』

她的嬰孩，在未入蒙養園之先，她都完全注意自然教育；每碰着月夕花晨，就抱着他的孩子，把那些花月……等自然現象，作實地的指示。

這時健生還是一樣地在他所倡辦的各種學校裡服務，幷且還是這樣不停地朝去暮回。

一天正是春光明媚的晚上，無限的花香，醞酔了西山的夕陽，顯出珊瑚一般的顏色；東邊的天際，也披着絳紗一般的餘霞，襯出一鈎新月；門前的小溪，也唱着玲玲的清調；岸旁的嫩柳，都如戴着綠纓翠鈿的舞女一般，不勝婀娜地在那裏跳舞，惹得來來往往的鶯哥，也張着牠們如簧一般的歌喉，唱在那綠陰深處。健生這時看着一水一石一草一木一魚一鳥都表現出快意，也不覺與自然而俱化了。走到門前。又看着他的愛妻帶着自然的母性，笑嘻嘻地在那葡萄棚下抱着小孩喂乳。小犬雪花，也搖着尾兒，垂着小古，快快地跑前來歡迎。這時的鍵生，眞覺得他的快樂家庭，勝過羅浮仙子了。

吃了晚餐後，他坐在讀書室裏，一邊聽着他的夫人彈琴，一邊默想他今晚的快樂；在這春光滿眼的春夜裏，他不禁提起筆兒，寫成了這麼一首七律詩。

「斜陽一抹綺霞稀，正値回家度夜時，小犬搖尾迎主返，愛妻喂乳止兒飢；半窗綠柳鶯爭唱，一樹紅桃燕競棲，最是春宵人意暢，好將琴韻和余詩。

他寫好了這首詩以後、就向着他的夫人叫了一聲說："Come in Please, my dae!"

他的夫人，聽着他的叫喊，也即刻就跑進房裏來，看了這首七律詩，也不覺心裏頭起了共鳴，不由得向鍵生的嘴上一吻，在這無限春光，無邊春色的春夜裏，只有天上的繁星，樓頭的皓月，才窺出健生改革家庭以後的快樂。

——四，一・一九二五，北河沿畔。——

春雨即景

空濛何處辨鄉關，疄塍還過綠水灣；多少樓臺烟雨際，有無城郭水雲間；青浮野氣施餘潤，翠滴山嵐壓曉鬟；多謝天公深有意，惜花更欲惜農閑。

題春雨杏花圖

搖籬疎處露霞消，別有丰姿不勝嬌；流水板橋村店小，曉風殘月酒旗飄；尋花聲裏吟魂斷，芳草天涯歸路遙；正是江南醪熟候，行人不見雨瀟瀟。

從她走後

幾乎五個月沒有分離過的她，現在居然被她的朋友密司P邀到C鎮去担任C大學援助滬案募捐游藝會的跳舞去了；這不能不算是我半年來愛的生活上的一個變故，而吹我上苦悶之途的一層風浪啊！當她未去的前幾天，她曾把密司P邀她去担任跳舞的事告訴我；並說如果到C鎮去，至少都得費一星期以上的時間，我聽到這个消息後，自然心裏有點不願意，爲什麼呢？一則因爲她近來身體不太舒服，若加以旅路的辛苦，恐怕感着厲害的暑症。二則因爲時間太久，難免有兩地掛牽之苦，而使我們的生活變態。但回頭想到援助滬案募捐游藝會的事情；又想到匈牙利抒情詩人（A. Petöfi）「我生最寶貴，戀愛與自由；爲了戀愛故，生命可捨去；爲了自由故，戀愛可丟去。」的詩句，而一種愛國熱誠，又不禁油然而起，有不得不讓她去答應之勢。以是不覺口裡頭就答出『可以去』三个字來了。可是聰明的她，也早既和我的心起了共鳴，並且明白我隱着心頭的苦衷。由是就想出了許多難題，預備逃避密司P的請求。

幾天以後，開游藝會的日期到了；而密司P找跳舞員的使命，也更加急了；一切預備逃避的難題，她——密司P——都替她解決，幾使她沒法推辭，而終於不能不答應。

這天正值大雨之後，連綿的小雨，還是絲絲不斷地下着，天空裏陰雲密布，濕氣氤氳，這樣沉悶的天氣，就是平常沒事的時候，也不免令人生悶；況又加上這近在眉睫的離別，那還有不相對難堪的嗎？到了午後，往C鎮的時間快要到了；然而她總是猶豫不決，露出依依不舍的樣子。

時間眞的快到了，距火車開往C鎭的時間只有五十分鐘了，C大學的游藝會裏，也已經派來一个人和雇好一輛洋車在寓所門前等着她去了。於是我不得不帮着她檢點行李，以免她有躭誤時間之虞；然而我一面替她檢行李，一面心裏却悽愴不安；她也紅着眼睟，强顏爲笑地向着我發呆。再拿起時錶一看，長針却已經走到第五個的字碼上去了。於是她便快快地提着皮箧，匆匆地走出門去。我連忙送出她到寓所門口，直看着她走上了洋車。當她的脚才踏上了洋車的時候，她就把頭兒伸出車篷的前面，向我說一句很重濁而帶悲音的「我走了」的話來，我聽到她這句話後，不覺心頭如同堆上了無數塊晶，而眼底的熱淚，也不禁奪眶而出。踉蹌地走入她的房裏，好像眼睛裡看不見什麼似的，更覺得滿房都瀰漫着沉寂的空氣，籠罩着滿腹的離愁。於是無聊地站着棹子前面，只看見那粉盒和香水瓶之類在棹上狠藉地放着。那一個平常不大注意的磁質的洋囝，——她平常愛玩的——因我的視線久凝在棹上之故，也跟着那粉盒之類而顯現了：半紅的眼睛，凝着疊而不展的眉彎底下，睁睁地望着我，好像心裏蘊蓄着無限愁緒，想向我伸訴着牠的主人離去的悲哀似的。這麼一來，房裏的空氣越顯得沉寂了。我耐不過這種枯寂，就怏怏地關着她的房門出去。

屋外的雨氣，還是如午前一樣，不過稍停了那連綿不斷的細雨能了。走出河沿，兩岸的槐柳，呈出蒼鬱的顏色，還有點點的餘雨，滴着行人的頭上。馬路上如醬一般的泥濘，印着無數的車跡，表現出久雨初晴的成績。我一步步地從槐柳旁邊走去，希望到V君處去散散悶，誰知道走到我每天傍晚和她出去乘凉的石橋上，又增觸了我無限的離愁，而悵想到踽踽獨行的孤寂，更覺得路旁一株株並列的楊柳，都在那裏譏笑我的單獨似的。我想到這裏，不但不愛那平常愛看的臨風招展的楊柳，反恨牠有如線一般的柔條，却不能繫住我的愛人的足跟。

一步一步地走去，不覺走到了V君的寓所了；他見着我，非常高興，以為這樣下雨的天氣，還不惜踏着泥濘盈寸的路途去訪他；那知我竟是爲着散悶而去的呢？走入房裏，在椅子上坐下，開始談到各人近日來的生活；但有時總覺得『聽而不聞，』並說出許多無意識的答話；弄得他也時不時莫明其妙地注視我。這時瞑色越加厚了，公寓裏充滿着炒菜的空氣！以是V君就留着我在他那裏吃晚飯。

吃飯的時候，夥計送來許多飯館裏叫來的鮮菜；但也總是無總打采地取着吃；並且辨不清任何種的菜味•到了後來，V君向着我大笑，才發現出我的筷子，在那裏倒着頭兒取菜•這時V君開始知道我心頭有穩隱秘未宣的苦衷了；並且極力地要我告訴他。我爲着他要求的誠懇，才不得已把她今天到C鎮去的事情告訴他。

『這有什麼要緊；不過幾天的離別！』

『本來是沒有什麼要緊；但我總不知道我爲什麼要這樣？……』

『好了痴子！多吃兩碗飯罷！』V君說完了這句話，把手掌向我的肩上一拍。

棹上的空氣忽然靜寂了一回，接着便談到我和她的往事，在平常談起來，本來是非常興奮的；可是在這個時候，却覺得只堪聊以慰愁而已。

吃了晚飯，更談了許多關於戀愛的故事，在我的心裏，本想着在V君那裏多耗費些時間，免得回到自己的寓裏受到些孤寂的痛苦。但是不仁的天公，偏要無情地閃動着可怕的電光，好像先發了一道下雨的訓令，警醒人們似的。我看着這種情形，不得不快快地回寓，走出門口，又看不見一輛洋車，只得徒步地走去。暗如墨斗一般的夜色，把星兒和月亮早既牢禁在十八層裏的天堂，只靠着柳樹縫裏的幾線微弱的電燈，照着泥濘的路途。我一步步地用謹愼的眼光找着較乾的地點走去，忽然把頭碰着一顆槐樹的幹上，摔得幾乎出血。再抬頭一看，前面的路途，幾如一片泥洋，沒有一處可以置足。這時正如羝羊觸藩，大有進退維谷之勢；於是不得巳翻過頭來，望着對岸的河邊走去；而一種悲哀，又不禁從心坎裡起來，覺得這回離別了愛人，已經難受，還要偏偏加上這黑夜的泥途，碰得肩軟頭痛，唉！我的愛人呀！這時在旅路上，也知道你的愛人正孤另另地徘徊在黑夜的泥途上，如同被擯在世界以外的孤雁一般嗎？

唉！俗語說：「越窮越見鬼，越衰越下水，」我這回正碰着這個境地了。唉！不堪回憶啊！今夜的河沿，不是往日的河沿嗎？我越想起往事，越增加無限的悲哀。

我記得一天晚上，月兒正掛着樹梢，照得古牆下面都是出一種魚肚一般的白色。我和她並肩地坐在搖曳風前的柳陰下，她唱着嘹喨的歌聲，好像白衣幽女，坐在月下訴着衷情一般，弄得途上的行人，都止着步兒驚羨。坐了一會，就慢慢地從柳陰下走去，微風吹着她的垂着額上的亂髮，飄着她的裙裾，時不時露出衣底的紅綃，令人想到凌波微步的洛神。點點的螢火，也慢慢地飛來，沾着她的襟際；好像一顆閃光耀目的鑽石，嵌上了嫦娥的碧綃。

又記得一個晚上，天上并沒有月兒，只閃着無數的繁星，現出玫瑰色的光芒。我和她携着手走上河橋，望着遠處的燈光，一點點錯落落着屋邊林際，現出北河沿夜裏的幽默，隔岸橋頭如葡萄一般的電燈，照着河沿裏鱗鱗的碧波，好像『愛之花』電影片裏一般的境地。我和她就站着那柳陰下細語，權作那活動影片裏邊的主人。

這是如何甜蜜的往事啊！可是今夜呢，既沒有她和我同行，又加上這令人不堪的淒風苦雨。

我這樣地回想着，不覺竟忘却路之乾濕而走到公廨之前了。走入霉氣氤氳的房裡，開着電燈一看，滿足汚泥，浸積着紫光燦爛的皮鞋；肩上黏着樹皮上漆黑的樹衣；再到鏡檯前一照，額角上竟墳起着一個小疣，才知今夜受着的痛苦，眞是更僕難數呢！

快快地脫了汚泥浸積的皮鞋，和濕土滿肩的西服，靜躺着籐椅之上；然而總是睡不着，直至一點多鐘夜闌人靜的時候，眼睛還是一閃一閃地開着；總覺得身邊失掉了一件寶貴的物件而坐着針氈之上一般。到了三點多鐘，才模模糊糊地睡了一會，然而覺不覺走入夢鄉：——好像在一座不知什麼地方的酒樓上，碰着她正在那裏吃飯，旁邊站着一個像貌狡猾的中年男子，正在那裏用甜蜜的語言去引誘她。我看了這個情形，心裏憤恨的了不得，連忙就拿着一根木頭想跑前去痛快地打他一下。正提起木頭的時候，夢就忽然醒來了。這時東方旣現出一線曙光，起坐檯前，不覺滿身都流着冷汗。

打開房門一瞧，夥計們還在那裏鼾睡着。再坐着椅子上回想剛纔夢裡的情形，又不覺起了無限的幻想。想到無可如何的時候，只想着卽往C鎮去找她；然而回頭一想，家款還未寄到，旅費何從而出？到朋友處去借嗎？然而也沒有可借，而且不願意去借。再想到無可如何的時候，只想着拿起筆兒寫一封快信去給她，叫她速卽回來；不管她在那裡有沒有收信的可能，也何妨冒昧地寫着C鎮C大學援助滬案募捐遊藝會跳舞員某某女士收的封面。

這時雨還是淅瀝地滴着，天色依然如昨天別她時一樣的沉悶。

下卷

驢背的一瞥

春在人間，已經到了青年期了；高淨着屋頂面上的樹梢，已經由紫而綠，由綠而青了；搖曳着河畔的細柳，也已經綴上了柔嫩的繁葉而掩映着凍冰初解的河沿，好像戴着綠纓翠鈿的舞女，對着明鏡，呈出她無限婀娜的嬌態了。唉！春在人間，眞的已到了青年期了。

這正是一個清明的天氣，和暖的陽光，正由東邊的古垣上射來，天際的曉霞，也好像絳綃般的照紅了隔岸的小草，這樣旖旎動人的春光，就是平時也會使人陶醉的；況遇了這「千紅萬紫；爭妍鬪媚」的踏青時節，能不令好遊的我，勃然動遊春之興而效周顒之携着柑酒往郊外去聽鸝聲麼？因此快快地跑到A宿舍去找C君，恰碰着他也正被這無邊的春色所撩，不期然而然地和我的心起了共鳴；我們歡笑了一會，就說定到西郊去賽驢。

我們各雇了一輛洋車，飛也似地穿過了許多長街仄巷，看見一般來往的人們，都忙忙碌碌地在塵海中鑽營他們鎸在心版之上的「名利」；好像這樣旖旎的春光，都不能稍動他們的塵心而寧願放棄那享受春光的權利，讓給我們似的；我這樣地想了一回，不覺高聳空際的西直門已觸動着我的眼簾了；到了門外，就換雇了驢子，開始過我們郊外賽驢的生活。

「騎驢眞有趣的事呀！孟浩然的騎驢踏雪，韓蘄王的湖上騎驢，都成了千秋的韻事。」C君在驢背上對我說。

「是的，我國的詩人，關於騎驢的事眞多呢！我記得小奚蹇驢，是李賀當年的韻事，他還要叫小奚背着詩囊，把所得的佳句都裝着裏邊呢！可惜我們今天沒有詩囊。」我在驢背上應他說。

「哈哈！我們只要有詩，那怕沒有詩囊！……」C君把驢子背上敲了一鞭，只聽着他的尾聲說，

驢背上的空氣靜了一回，接續又聽着那得得的蹄聲踏破了無邊的春色。抬頭一看，滿郊的芳翠，樸人眉宇，一層層的遠樹，浮着淺翠深綠，似一疊疊的綠雲，排列着溪邊野際。那遠林的外邊，還隱約地現出橫列如眉的西山，籠着晴嵐，似淡裝的處女披着素紗，含着幾分羞態，怕見生人一般。遠林的下面，彷彿看見許多茅屋；屋簷上的烟窗，吐出幾縷青烟，秋雲般地，繚繞着樹的梢頭。屋的四圍，平鋪着三寸多長的麥苗，微風吹來，似綠海裏起着層層的浪紋一般；這種風光，不禁令我想起陶靖節「平疇交遠風，良苗亦懷新」的詩境。

在這樣旖旋的春光中，夷猶的我，彷彿踏入了夢境，覺得身體都格外輕鬆，如乘着銀輧，飛過那綠天深處一般，行行前路，幾忘却路之遠近，而走入一條不知名的小道上去了。道旁的垂柳，乘着我這樣陶醉的時候，也故意地拂着她們的柔枝，吻着我的臉孔；我正想慢慢地享受那嫩柳的風味，不想那淘氣的驢子，竟和我搗亂起來，結果把我的帽兒都被那多情的楊柳兒拉住；這也許是春青帝的使命來和我開玩笑吧！

走過了這條無名的小道，就是一條小溪，溪的兩邊，披拂着許多無名的小草，間着紅，黃，白，紫的雜花，很令人生愛。那溪水是清瑩秀澈的；因爲溪裏錯落着許多沙石的緣故，還流出一種颼颼動聽的水聲。溪上架着一座板橋，有幾朵野花穿過橋隙笑開着。古人「白石清泉相激鳴」，「小橋流水人家」的詩句，大概是這種境地的寫眞能！橋的西邊，還有短短的籬，插着溪岸；岸上橫斜着幾顆桃樹，正開着滿樹笑靨迎人的紅花，有時還無言地落下些殘瓣，隨着溪水流去。唉，這樣的境地，正李白所謂：『桃花流水杳然去，別有天地非人間呢！』忽然那繞着藤蘿的門邊，走出一個很美麗的小姑娘，手裡拿着一束蔬菜，預備到溪邊去洗；後頭跟着一個小犬，汪汪地向着我們亂吠；那小姑娘也凝着眸兒，現出很驚慌的樣子瞧着我們；我的好奇心立刻就勃然而起了，連卽把驢兒歇住，去把玩這圖畫般的田園風景。

驢兒又望前去了，走過一條蘆芽初茁的小溝，又現出一角林塘：裡面浮着幾個鴨兒，衝破那貼着點點荷錢的綠波，聽着驢兒搖動的鈴響，就伸長牠們的頸頸，叫出呷呷……的鳴聲；我凝眸地看了一下，又不禁想起徐熙的放鴨圖和『春江水暖鴨先知』的詩句來。塘岸的柳陰下，拴着一頭黃牛，跟着一頭小犢在樹根下吃草。忽然翠柏林中，跑出了一個牧童，吹着短笛，我的如夢一般的遊魂，不覺被他的笛聲驚醒了。

行行復行行，不覺又走出了來往西山的大道了。返道而回，只覺得遊興未闌，不忍歸去似的。在這紅男綠女絡繹不絕的歸途中，我眞不知愉快到怎樣似的？唉！久別江南的我，得在這紅塵萬丈的北京享到這麼清幽的田園風趣，眞不知是幾生修到呵！所以一直到了家中，那一幕幕的春郊風景，還不住地在我的腦海中表演。

——十三，四，四。——

暮春

無邊青草照斜暉，獨自騎驢上翠微；忽見落花鋪水面，
鵓鴣聲裏暮春歸。

秋村鴻影

（上）

綠妹：

「大暑去酷吏，
清風來故人；」

「一年容易又秋風，」不覺又到了梧桐葉落的時候了。回憶暑假和你柳蔭坐月，荷沿乘涼的情景，還在目前，誰知道到如今人散天涯，一在山之陂，一在水之湄呢！唉，回憶往事，能不令我凄然嗎？呵，我想到這裡，我又不禁想到你在葡萄棚下囑我暑假後到學校要常常通信的話了。我們倆的性情，生來就具有裙屐風流而愛和自然界接觸的；所以在家的時候，每逢春秋佳日，就要學陶淵明之登高賦詩；或騎驢而往，或挈榼以遊，必至乘興而往，興盡而返而後已。然而現在呵！在這江濱的學校近邊，只有踽踽的我，在這天高氣清的秋空下，遨遊着渚際江渚了；幽情妙景，也只有我一人領略了。綠妹呀！你願我在這江村裡所領略到的一切秋景，使你也有得到領略的權利嗎？那末我就不能不保守着薔薇棚下通信之約，而權把毛錐當嘴，一句句地傳到你的耳膜之前了。

這是我入學校後第三星期在學校的外邊所見到的：我的學校，傍着寧水之湄；在學校的近邊，有蔽天的修竹，有拂岸的垂楊，在那萬綠交加的陰影裏，還有一碧澄江，白練似地繚繞着山邊野際，這是你所知道的；然而你不過僅僅地知道這一點能了。至於這秋日江鄉的秋聲秋色，那就非你所得而知了。現在我就把我所見到的一切來報告你，請你靜靜地聽吧！

正是一個雨後初晴的中秋天氣，澄碧如洗的長天，照着金光燦爛的朝旭，門前的楊柳，吹着輕麗的涼颸，時時送來了一簇穠郁的桂花香氣，撲入我們的鼻孔；有時還吹落一片兩片的黃葉，點着我的襟際。在這樣桂香浮動，木落天清的秋光裡，我的久被學校羈絆的心，不禁清曠起來；而一段游魂，也不禁馳騁着江邊渚際，而極欲即行前往以飽享那江村秋色。於是就穿着一套淺灰色的袷衣，拿着一本雪萊，Shelley的詩集，很輕便地走出了學校的門前。走出以後，開始觸着我的眼簾的，就是那拂空的幽篁；微風吹來，戛戛作響，敲着一聲聲的秋韻，鳴珂般地動着人們的耳鼓。還有一點點的疎雨，也漸漸地和着交柯的清響，時不時滴着幽人的衣上，令人想起清人『秋生黃葉聲中雨，人倚清溪水上樓』的詩境來。那竹旁的古槐，也簌簌作響；還有幾聲蟋蟀，伴着殘響，好像細語着天涯秋氣，已經深透了人間似的。

忽然而竹林將盡，露出一碧的秋江來了，一層層的光波，返影着竹林上邊，因水波的蕩漾，而波影也一疊疊地流動着林間，好像銀幕上一幕幕過去的黑影。

由竹林的中間，可以望見前灣鴨頭一般的綠水；灣頭的蒹竹，間着欲醉的霜林，掩映着波光之上，時有水鳥上下，幾如趙孟頫「野曠天高木葉疎，水清沙白鳥相呼」句裏的境地一般。江的盡處，可以看見一抹如眉的遠山，搖曳着如蠶一般的林梢之外，令人起蘇東坡「扁舟一棹歸何處？家在江南黃葉村」之想。竹林盡處，江堤亦向西小折，接着有幾株古榕，樹幹之大，幾可合抱十八；一片欲滴的蒼翠，映得衣袂都呈綠色，樹陰下還有幾個小孩，在榕樹的橫枝上繫着鞦韆亂打。綠妹！這種情景，又不禁引起我們兒時在屋畔柳陰裏打鞦韆的故事來了。

走過了榕陰，就架着一座浮橋；達到彼岸，幾乎有三十餘丈之寬，過了浮橋，就有一座亭子，亭的旁邊，還有幾椽小屋，高掛着酒旗，四面圍繞着綠竹，大有『竹鎖溪橋賣酒家』之概。我正在那裏徘徊的時候，忽然邂逅着C君和他的弟妹，他們喜歡得很，並要拉我同到他家去玩玩。他的家離那裏不過一兩里，走過一條詩蘿披拂的小徑，就可以看見他的屋了，他的屋具有園林之勝，因爲他的父親是一位詩人；所以對於住宅，也曾加意地點綴。他的門前，插着一排短短的竹籬，垂繞着層層的紫藤．門的裏邊，雜植着松竹梧桐之屬，梧桐下豎着一座門牌，署着『清溪別墅』四字。由這門牌裡一望，可以看見他的屋子的全部；四面蔭着楡柳，還間着幾竿拂簷的修竹。屋畔有一座荷塘，廣約十畝，滿池浮着將殘的荷葉。荷的深處，還有一座水亭，可以掛着漁竿在那裡下釣。池畔的柳陰下，拴着一艘瓜皮的小艇，裝着無數的落葉；還有幾个翡翠和蜻蜓，在那裡廻還。這個境地，倘在夕陽將下的時候，在這裡泛着小艇往來，那一片柳塘的清趣，也具有無窮的詩意呵！池的外面，還有竹樓一座，由隔池望去，好像『遙知楊柳是門處，似隔芙蓉無路通。』樓的高度約五丈餘，憑欄遠眺，可以望見風帆沙鳥和烟雲竹樹，景色之勝，幾不亞王禹偁的黃岡竹樓呢！

下了竹樓，就到屋裏休息，他的父親和母親，也出來接見；並煮了許多鄉村的秋味，像蔬菜晚菘之類的菜，留我吃餐，一種清味，覺得只有田園居士才享得到這些清福。吃了午飯，又和他的父親談了許多關於田園詩人的話，他也很喜歡我的議論；一直談到三點多鐘，才和C君一塊泛着江船回校。

由坐船的地方到學校，不過有三里的水程；然而既得着不少的秋江景色了。在船上把眼一看，那濟濟的秋江正照着落日的殘影，隔水的遠浦，正開着雪白的蘆花，間着蕭疎的紅蓼，好像白頭老翁，抱着婀娜的紅顏，不能不令人生妬。那荻花深處，泛着一座漁船，有一個漁翁携着他的孫兒，在那蒼茫杳靄的烟波裏吹火烹鮮，不禁令我想起碧雲江邊，浮家泛宅的張志和來。宋人詩說：「一尺鱸魚新釣得，兒孫吹火荻花中，」正堪爲此寫照。唉！這種澤國風光，眞足令人羡煞呵！

過了這個荻浦，便是兩岸楓林；一片片的紅葉，無言地從林間落下。那楓林下面，還有瓦屋數家，像一個漁市。林陰裏站着許多漁人，爭呼着賣魚的聲音。隔岸的菰蒲叢裏，還泊着許多漁船，大有王漁洋眞州絕句詩中『好是日斜風定後，半江紅樹賣鱸魚』之概。我倆看着金光蕩漾的秋江晚色，不覺興致淋漓，扣舷高歌，引得那紅樹裏的漁人，都很驚訝地瞧着我。唉，此時此景，只恨不得綠妹在旁，來一笑我之清狂呵！

正在那餘興未闌的時候，忽然那舟人把船兒停着，說是已經到岸了。我聽着他的說話，還是站着船頭，依依地不忍即捨；並想着倘若我將來有波艇（Boat）時，能够在這夕陽將下的薄暮或滿天星月的夜裡，伴着愛人在這蓼灘蘆渚，白蘋紅樹間，享受這秋江幽趣，就是如雪萊 Shelley 一般地在海中淹死，我也情願。

走上岸頭，遠遠地可以望着學校的鐘樓，我和C君，緩步地回去，東方的月兒，正團團的掛着林稍；野屋的炊煙，也已繚繞着深林的橘柚，走到校前，還聽着幾聲暮蟬的餘響，和着草間的蛩韻。

綠妹！這就是我享受到的秋村生活，你以爲怎樣？

——中秋後一日，C寫於桂花風裏。——

——122——

下

C哥：

「遙望江鄉已多日
得來秋訊不勝歡！」

我讀過你的如圖畫一般的描寫，我眞佩服你的靈妙的手腕呵！妹自從到校以後，生活實在枯燥，每想起我們暑假裏所過的生活，不禁流下淚來。好在和我同房住的一位蓮姊，和我也很合旨趣，她是一位很愛清靜的女子，極喜歡讀——王摩詰，孟浩然的詩集。她的母親，正在離我們學校不遠的一個和山寺裏學佛，且常常叫我們到她那寺裡去賞玩林泉的清景。我是極愛尋幽訪勝的；所以一經蓮姊的邀約，就答應跟她一塊去。我現在就把這一段秋山風景，來向你報告罷！

C哥！當你出游的一天，也就是我和蓮姊到和山寺裏去的一天呢！可是你的是白天，我的是晚上；你的是江鄉，我的是山寺；我們所見的不同，所以也就各有報告的必要了。我的學校，離着岡山是很近的，在我的學校前面，可以看見山中層層的紅樹，疊疊的綠林；有時還聽得到三聲兩聲的寺鐘，從淡霧裏飛將過來。在那紅樹與綠林的中間，還隱隱地露出一些紅牆；這是在我們學校上野外寫生課的時候，曾幾次取作畫材的。

現在遇着中秋的時候，越發好看了。「秋林缺處見山多，」更覺得「秋山瘦益奇」了。況碰着那天又是雨後初晴，如洗的山色，映着絳綃一般的晚霞，更足以引起我們的愛游之興了。在那個時候，我和蓬姊正在學校裏吃了晚飯，就共議到教務處去告假；好在得到教務長的允許，所以也就得坦然而去了。出校門後，一步步走入山村；這村是一个農邨，桑麻滿徑，鷄犬交鳴，別有一種風趣。走過一角林塘，一層層的蘆花，開着岸際，上面有幾家茅屋，蔭着紅黃相間的高樹；更有嚌咽嚌咽……的蟬聲，在落照中亂聒。在這『兩岸蘆花三尺水，西風殘照野塘秋』的境地裏，而又加以幾樹蟬聲，一種冷艷的秋色，眞堪觸動幽人呵！

過了山邨，就是和山之麓了；一帶松林，繞道而植；西風吹來，起着翏翏的松濤，眞是好聽極了。松陰裏的石凳，因爲隱不見日的緣故，長着嫩綠的鮮苔，上面印着許多人跡和獸跡，正有『幽溪鹿過苔還靜，深樹雲來鳥不知』之概。走出松林，遠遠望見上面有一座小石橋；一條潺潺的小瀑布，由橋下流出，噴成無數的小珠，點着兩邊的積翠。由石橋折而西北，路更多小石；路的左邊，是一個陡絕的翠巘，垂着閙閙的綠蘿；上面飛來幾片紅葉，色極鮮艷可愛。這時已經傍晚了，天邊的落霞，漸漸地由紅而紫，由紫而白；山頭的月亮，也漸漸地露出清光，照得路旁的林影，都由淡灰而進於深黑。再行幾步，隱隱地聽見閣閣的木魚聲和咿啞的梵聲，遙知禪院既經快到了。忽然碰着一個僧雛，來寺前汲水，我們就跟着他一塊進寺。一到寺門，就碰着蓮姊的母親在院前的松陰下靜坐，見着我們，喜歡的了不得，並且快快地叫僧雛拿出椅子和許多禪家的清供，坐着月下賞月。

這時月亮既經斜照着禪榻，凝眸向山下一望，一碧長天，幾無片雲點染，地面上無數的田園屋舍，都籠罩着淡靄蒼茫的夜幕裏；而蜿蜒似的溪水，也時不時現出淪漣的波光，一直從不辨來源的遠出外，流入於無窮的天末。再坐一會，更可以斷續地聽見山下人家的舂杵聲，擣砧聲，和舟人的榜聲；然而這不過因風的吹送罷了。忽然萬籟俱寂，胸中亦覺空曠無涯，彷彿此身與天地同游，而入於浩杳空濛之域；才知道禪家的「空」，都是由靜而得的呢！C哥！這種清境，假若

——126——

你能够一塊玩享，我想你一定會——逸興遄飛，飄飄欲仙——呵！可惜那晚寺前的楓林裏沒有傳書的鴿子，只有噪月的麻雀呢！

在這月下的樹陰裏，靜坐既久，覺得身上有些寒涼，更令我想到空庭無人，月華似水的境地的幽妙。忽然而颯然的山風，吹着寺裏的鈴鐸噹噹作響；蕭蕭的落葉，也紛紛地從林際飛來，更覺得夜涼露重，有令人不可久留之勢。於是蓮姊的母親，就叫我們進房裏去就寢；可是這房裏窗戶洞開，明月窺人，滿林耀目的清光，照人不能入寐。窗外的小樹，也一棵棵作人立的狀態，又不禁令我疑作鬼魅，更不敢入寐；這時只怕蓮姊熟睡，不得不快快地把桌上的佛經拿來，一塊在月影裏看看。

看了一會，不覺慢慢地被佛經引入睡鄉了。正在作在家中賞月和我的父母弟妹們在月下吃月餅的夢的時候，忽然一陣雁聲，從窗外飛來，睜開眼睛一看，却躺在紅塵以外的禪院裏。

C哥！這就是我那天晚上——中秋夜——在和山寺裏所享到的秋山夜景，敢草草地寫上以博哥哥之一笑。

——妹綠英，接信後一日，——

附白：集中從她走後，驢背的一瞥，和秋村鴈影三篇，曾在去年的婦女雜誌上發表過；（應該誌特別徵文之作）現在爲印詩文集故，復轉載於此，特此聲明。

——十五、七，一，作者識——

什刹海邊

自從前禮拜的上午，在美術研究會裏聽到F君敘述他到西山看紅葉的事後，我的久被塵網束縛而欲往西山去看紅葉的心，不禁如火燄一般地燃着；好像一朶朶紅於二月花的霜葉，都不時地湧現在我的眼前。過了兩天，剛碰着C君在北大日刊上登了一篇「壯遊團」的啟事，也提議下禮拜日到西山去看紅葉，我看了他的不謀而合的啟事後，不禁喜不可言；遂即行加入，並預先理想着西山的紅葉紅到怎樣怎樣的程度。不想到了禮拜六的下午，忽然A院的揭示處，發現一紙，『近因戰事日急，城外戒嚴，西山之遊，待平靖後舉行』的啟事，又不禁令我惘然，而一段遊興，竟被牠掃到九霄雲外。

到了禮拜日的早晨，還沒有起床，晨曦『已射到我的帳裏，窗前將落未落的黃菊，在微風裡弄着清暉，把牠的翩翩的瘦影映在窗幃之上，好像銀幕上過幕的黑影。槎枒着對面屋瓦上面的還帶幾片黃葉的枯樹，也有幾個小鳥在那裏啁啾啁啾地晒着牠們的小翅兒。還有嚌嚌的獨輪運水車，也間着賣菜和賣花的聲音，振盪着我的耳鼓，好像表示出今日的天氣，特別帶有小陽的味兒似的，弄得清夢初醒的我，幾乎想卽時跳將起來，去享受這陽春初臨的天氣；起立窗前，不禁打着冷噤說：

「今天的天氣這麼好，眞是想和我開玩笑嗎？」

漱洗以後，便走出門前的簷階上，抬頭一看，一碧如洗的長空、幾無半片流雲，艷冶的陽光，動盪着院裏的金魚缸上，越覺得心曠神怡，如陶淵明之所謂「良辰入奇懷」了。但是愈覺得今天的天氣好，愈痛悔今天之不能遊西山，而愈抱恨今天天氣之和我開玩笑。——假若今早起來，或下雨，或刮風，也許還可以稍稍收回我這個已往西山去看紅葉的心而聊慰今秋「有願莫償」的遊想；誰想到今天的天氣，竟是這樣地特別可愛呢？咳！真是俗所說：『沒田種偏碰着豐年！』我一面凝視着金魚缸上動盪的陽光，一面呆站着簷階上打反想。

然而現在怎樣去消這樣的良辰呢？西山的紅葉；難道不能獨自去享受嗎，城外雖然戒嚴，難道敢把我綁去嗎？但回頭一想，覺得遊山覽水，還是有伴侶才不至寂寞；所以「命儔歗侶」，都是古今來雅人所重視。可是現在時候已經不早了，究竟找誰去好呢？就作算找到遊伴了，當着這戒嚴的時候，假若真的碰着那般綁票的匪徒，又將怎麼辦呢？唉！處了這樣的鳥時勢，真不免把我的領略自然風趣的自由，都剝奪了呵！唉！真倒楣！我還是帶着抱怨的神氣，在簷階上繼續地呆想。

吃過了午飯，這個被紅葉蔽開了的心扉，還是依然地開着，總覺得有不看紅葉心不休之概；於是就不得不縮小遊覽地點的範圍，而到德勝門樓上去遠眺郊外的紅葉了；因爲這個門樓，是我去年初夏曾經去過一次的，還記得那裏在那個時候，不但可以看見郊外青青的平疇，掩映着一層層淺翠深綠的遠樹，還可以看見幾處黃雲似的麥苗，起着層層的麥浪。在那麥隴桑田之間，更錯落着一弓半弓的茅屋，不時地起着縷縷的炊烟，自是饒有田園的風趣，而不染半點城市囂塵的。到了這個時候，那層層的遠樹，不是已經飽着霜風而帶着醉態了嗎？那麥隴黃雲，雖然現在沒有，然而有滿地的黃葉可以替代。至於那護城河邊的雪白的蘆花，却是初夏時所沒有的。在斜陽半壁，暮靄蒼茫的當兒，得在那城樓上高瞻遠眺，也未嘗不可以得到『滿林黃葉待僧歸，』和『故壘蕭蕭蘆荻秋』的詩趣呢，我想定了以後，就決計邀碧

和我一塊前往，碧聽到我的提議後，也非常贊成，於是就携着畫具，擬到德勝門樓上去寫生，

午後的陽光，正照和地照着大地，天空裏也有幾個秋鷹，在那裏翺翔。我和碧出門以後，决定步行，一路踏着黃葉，緩緩的走去；走到景山後頭，看見兩位同學在鋪着落葉的草地上坐着玩耍，好像也有他們的自然的樂趣似的；才想到人只要自己心裏樂，任是跑到那裏都是樂的。走出後門，又看見前面的鼓樓上掛着國旗；並有許多遊人在那裏出入；便又走到那裏去。在未到之前，本想到那樓上去看大鼓的，走到以後，才知道那樓已改設通俗圖書館了哩。入門以後，看着許多鄉人和穿着深紅淺綠的太太小姐們在那裏觀覽；覺得一種脂粉氣，不時地雜着鄉人的衣垢氣，撲入我們的鼻孔；鼻孔受不慣這種道味兒，我們便立即從人叢中擠擁出來。

「這裏到德勝門只走過一條大街就是了，我們不必雇洋車了吧！」

碧好像很有經驗似地對我說：

「好！那麼我們就還是走着去吧！」

我囘答了她以後，便又兩人緩緩地走去，一路談着剛才在圖書館裏所看過的情形，好容易便走到了德勝門的內門了；再走到上德勝門樓上的小門前，便看見那裏的門緊緊地閉着，只剩着一個武裝警察雄赳赳地站在門前；我看着這個情形，預知又偏了一碗閉門羹了；但被好奇心所驅使，又不得不忍着氣問警察一聲：

「這門可以進去嗎？」

「不能！」

「爲什麼去年四月間都可以進去，現在就不能呢？」

「不知道現在正在戒嚴嗎？」

——134——

我聽到警察說到「戒嚴」兩字，又不禁如冷水淋頭一般；比那天看到「西山之游因戒嚴不能往」的啓事，更加十倍的掃興。碧聽着這個答覆，也同樣地感到不安，並立即向我說：

我們眞是倒楣！跑了那麼遠的路，竟落得了一碗閉門羹！」

我這時簡直氣得不能說話了，停了好久，才向着碧說：

「哼！逢了這個鳥時勢，眞是倒楣！我們寄跡在這樣號稱首善之區的北京，不要說想得到別種自由，連這個小小的「看紅葉」的自由都一再地被軍閥給我們剝奪了！

這時我們負着滿腔的憤氣，眞不知向何處去揮洒，不得已又躑躅地走到什剎海邊去，聊慰這輾轉終日的遊懷；走到那裏，已經是四點多鐘了，將近西山的夕陽，斜照着什剎海裏蕩漾的寒波，柳堤下白如雪片的蘆花，也和岸上一絲絲的衰柳互相招展，上面還飛着幾個歸林的暮鴉，越顯得傍晚寒塘的淡漠，而令人想到「西風殘照野塘秋」和「天寒落日淡孤邨」的詩境。再向前行，便走到一所新築岸上的樓邊；這個境地，是總全海之勝的；從近處一看，既可以看見海裏鱗鱗的碧波，又可以看見三面的楊柳樓臺；從遠處一望，就可以隱隱望見矗立暮靄蒼茫中的西山。當我剛望到西山的時候，不禁喜得雀躍起來，覺得數日來蘊着胸中的西山，雖被「戒嚴」兩字所奪而不能親炙，却也可在這裏遠遠地一望，以聊慰素忱了。再凝眸一看，覺得這個可望而不以可卽的西山，也在黃昏裏抱着無限的憂戚而現出眉皺額蹙的樣子：我和碧在這裏呆看了一會，又復一步步地望着前面的拱橋走去，數行衰柳，搖曳着晚風之前，指甲似的新月，也漸漸地升着林梢，放出淡淡的微光，好像告訴我夜神快要降臨似的。再繞了一個小灣，又發現了一個小小的漁村：數椽茅屋，趁着蕭疏的柳林下面，屋畔拴着一

——136——

个小小的漁艇，放着一個魚簍，簍邊掛着一枝漁竿，大概是剛才能釣歸來的。我和碧在那裏把玩了一回，忽然一個漁娃，把柳枝穿成許多黃兒和鱸魚之類的魚兒來叫賣，我看着一頭頭在柳枝上拂着尾兒活躍，便和她買了數尾回來：這種漁村風趣，我又不覺聯想到『半江紅樹賣鱸魚』的境地，而回憶到數年前在故鄉柳塘泛艇的往事了。唉！數年來旅居京華，飽受着城市風味，一種皈依自然的根性，幾被那萬斛紅塵所侵蝕淨盡了。遙想故鄉連年兵戰，軍閥爭權，正不知何時得平安地享受故園風味啊?!而一種愁懷，又不禁油然而起，踽踽地走到拱橋上一望，只覺得那蕭蕭蘆荻，送來一簇襲人肌骨的涼颷；而數聲淒咽的蛩韻，更令我有不可久留之勢；遂和碧雇着洋車回來，並無端地在車上填成了一闋菩薩蠻：

『幾行衰柳驚搖落，蘆花風颭秋蕭索，斜日照平蕪，遙峯淡欲無。橋邊人暫歇，愁聽寒蛩咽，日暮莫思鄉，思鄉須斷腸。」

——十一，十五，一九二五。——

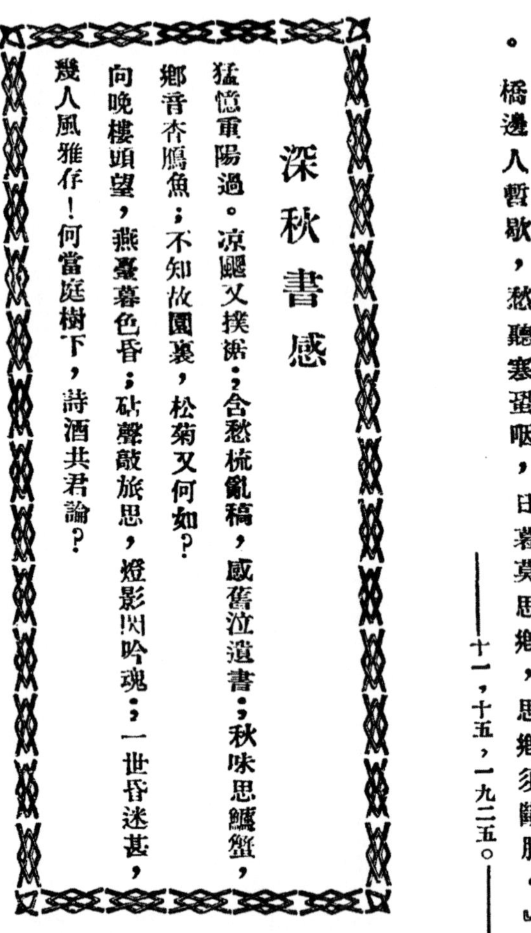

深秋書感

猛憶重陽過。涼飔又撲裾；含愁梳亂稿，感舊泣遺書；秋味思鱸蟹，鄉音杳雁魚；不知故園裏，松菊又何如？

向晚樓頭望，燕臺暮色昏；砧聲敲旅思，燈影閃吟魂；一世昏迷甚，幾人風雅存！何當庭樹下，詩酒共君論？

—138—

妯娌樂

——爲北大廿七週年紀念作——

一個清寒的晚上，天上正嵌着鐮刀似的月兒，一片光芒，照得河沿裏的凍冰，都亮晶晶地呈出微弱的反射。河沿上黑越越的枯枝，也靜悄悄地倒影着地上，儼如一幅『寒林疎影』圖。我一步步地走去，忽然走進一個危樓高聳，電燈輝煌的場所，幾如身入瑤池，不知有人間似的；再進幾步，微微聽着悠揚的絲竹，間着嘹喨的歌聲，彷彿看見三個穿着雲錦衣裳的天女，在那樓臺深處翩翩地跳舞；再凝眸一視，可以辨出她們一個個不同的服式：右邊一個，穿着班爛的古衣，好像三代時候的章服，衣角上繡着『二院之神』四字；中間一個，穿着曳地的西式舞衣，秀麗的丰姿，儼然現出一種壯美的樣子，衣角上繡着『一院之神』四字，左邊一個穿着寬博的中西合璧的舞衣，現出一種蕭閑的態度；衣角上繡着『三院之神』四字，她們舞罷以後，就在那裏坐着談她們的家常瑣事。

一院之神：唉！這幾年來，因爲世亂的緣故，眞是弄得我們妯娌一年一次的年宴，都幾乎沒有了；我們妯娌，自從前年這天會宴以後，足足兩個週年了。去年的今天，本來我們應該會宴的，就是因爲世亂的緣故，弄得我們的經濟起了恐慌；所以我們的孩子們，也不高興替我們設宴了，一直等到今天，我們的孩子們，才又鬧熱起來替我們設宴慶祝，唉！我們的境遇如此，實在不免有近在咫尺，遠若天涯之嘆呵！既然我們今天幸得會宴，那末在這茶餘酒後，就各把我們兩年來的生活，略略地報告一下吧！現在我先把我自已的向二位弟妹說說：自從去年的春天，把我們的家事交給二弟妹管理以後，雖然身子閑暇一點；然而因經濟困難之故，弄得孩子們也不免教養不周。我們的孩子，一個個都喜歡聽故事，你看他們天天起來，都要我請了許多人講給他們聽；有的喜歡中國的；有的喜歡外國的；中國的故事，因爲我們身在這裏的緣故，自然是比較豐富些，差不多應有盡有；所以孩子們還不致起恐慌，講到外國的，就是英國的比較多些，其餘德，法，日，俄，諸國的，就比較少些了；好在喜歡這幾國故事的孩子少一點；所以也還能免強的敷衍。太約是前年吧！我們的孩子，都說要建築一座大規模的故事舘，以滿足他們的慾望，並且說定一年內要落成；可是爲着世亂和經濟困難的緣故，也就不能如願了；好在這一筆欵子還存在，只要孩子們肯努力，就不怕不成功。到了今年，我們的孩子，秉着獨立的精神，脫離了『那隻大蟲』所雄踞的數部，自然經濟越發困難了；不曾想到今歲的週年，我們的孩子們，也還來孝敬孝敬我們呢！唉，這樣看起來，那末這次的年宴，也是天幸哩！

二院之神——是的，嫂嫂！我們的會宴，眞是不容易呵！我們的家，處了這樣的時勢，最不容易維持了。我自從去春從嫂嫂手裏接着家事以來，眞是忙的了不得；從外面看來，誰也說我穿着斑爛的古衣，一定是很安閑的，誰知道我竟沒有一刻暇晷呢！唉，嫂嫂！這樣難當的家，實在難爲你從前當得了呵！至於我們的孩子，雖然不大喜歡聽故事，却是喜歡弄玩意兒，差不多一天到晚，都在那裏玩耍，有的拿着玻璃瓶子在那裏調什麼酸鹹，有的拿着不倒翁在那裡評什麼重心，有的拿着三稜鏡在日光裏考什麼顏色，有的按着金屬絲在那裏弄火蛇子，——電光——有的拿着藥水瓶

在那裏化驗什麼東西，還有拿着花碌碌的帶子，在那裏測量什麼天地，實在離奇百出呵！我不愛聞他們所玩的什麼綠氣，和亞母尼亞，一看見他們在那裏弄那些玩意兒，我就掩鼻不及；但是他們雖愛這樣淘氣而不怕臭；然而他們確能夠把他們的各種玩兒，造出許多實用的東西來，這也是一種可以安慰的事情。到了夏天，我們這裏，也比較可以消著；在那小小花園的當中，既有臨風搖曳的楊柳，又有如傘一般捧着露珠的蓮葉，那蓮葉底下，還有金光燦爛的金魚，忘機地在那裏睃水。火花一般交錯的噴水，倒瀉着蓮葉

上啵啵作響，一種涼氣，直沁入人的心脾；在那裏小立一會，幾疑是雨天簷漏。四面還圍繞着許多雜花亂草，無數的蜂蝶，都來來往往地在那裏尋香，有時還聽着牠們嗡嗡地唱着戀歌，幾乎要催人入睡，眞是好聽極了。到了夕陽西墜的當兒，我們的孩子，也就一個個到這裏來問安，有時唱着歌兒，有時開着玩笑，一直到月亮吻着大地，析聲閣閣的時候，才一个个別我而去。至於每次的音樂會，更是悅耳，孩子們都聽得有飄飄欲仙之概。可是到了現在，那小園裏的金魚池裏，就只剩着幾根殘荷的斷梗，既不見蜂蝶尋香，也不見游魚唼水；到了晚上，也沒有幾个孩子到來問安了，眞是清寂得很呵！

三院之神——二嫂嫂！你現在雖然比大嫂忙碌一點，可是因你那裏的風景比較清幽的緣故，也就可以安慰了。我們這裡，也就好在有點兒風景；所以覺得不大寂寞，就如春天吧；也有幾枝紅桃白李之屬，稍稍地點綴；有時間還有鶯哥燕妹，在那裡婉囀，到了夏天，那綠茵似的草地上，也還點綴着許多無名的小花，笑嘻嘻地在那裏迎着朝曦。上面還蔭着許多抉踈的槐柳，微風吹來，簸弄出滿地綠陰，還有幾枝抄着龍鱗的老松，也常常在微風裏奏着雲璈，發出瑟瑟的濤聲，眞是好聽極了。假若薰風習習的時候，拉出一架桃笙，在那裏靜臥，眞覺得是羲皇以上的人呵！有了這樣的景緻；所以我們的孩子們，都喜歡在傍晚的時候來這裏乘凉，有時還携着他們的愛侶，在那花陰下密語談心；興到的時候，便唱着柔嫩的高歌，眞有響遏行雲，餘音繞樑之槪。更有隔壁的芳鄰孔德妹妹，也是一個活潑的小姑娘，常常聽得見她那裡的歌聲和琴韻；我聽着以後，也常常不知不覺地按着她的拍子跳舞起來。講到我們的孩子，那就和二位嫂嫂那裏的有點不同，大部分都是喜歡做官理財的；不過自去年把那个考古室搬到我這裏以後，有一小部分的孩子，也就天天要去玩古董了；那古董室裏，眞是什麼玩意都有，像那什麼殷周時代的甲骨彝鼎呀！什麼秦漢魏晉時代的碑帖呀！什麼最近洛陽和燉煌各地出土的土器和石人石馬呀！眞是好看得很！還有由各地收來的門神像和利器錢，都是各地過年時候所貼的東西；種種不同的形式，看來都很有趣味，難怪那一部分的孩子們，都願意在那裏埋頭地考究。至於家事一層；我從來都沒有過問，這樣好懶的我，眞是慚愧得很呵！

一院之神——哈哈！我聽到你們的生活，眞是快活得很！因爲你們都有這樣的風景，就是稍受經濟的困難，也可以抵消下去了。講起來就是我那裏最乾燥，不但沒有好玩的東西，而且沒有好玩的園過，只有右邊一個絕無青草的沙灘，左邊一條黑波黝黝的河水；好在那河的兩岸，還有數里連株不斷的楊柳，垂着無數的柔條，當清晨或薄暮的時候，可以看見城牆外綠雲一般的林梢，和林梢外一抹深藍的遠山；至於河沿一帶鎮着煙綃霧縠中的楊柳樓臺，也時常把那蕩漾着一線遠天的河水，當作照鏡；更好在我比你們長得高大的緣故，還可以放開眼孔，看得深遠一些，這也是我唯一的安慰。到了今秋，我們的孩子們，又在那裏建築花室和陰雨球場，也許自今冬以後，我的生活，會更加有趣了呢！噯呀！時候不早了，既經到十二點鐘了，我們也可以回去了，那末我們就起來唱一首樂歌然後再行暫別吧！——於是二院之神和三院之神都向着一院之神作揖，表示贊成的樣子，作揖以後，她們就起來唱一首樂歌：

『樂莫樂兮今夜筵，

一年一度兮妯娌團圓，

跳舞罷兮裙蹁躚，

各道舊兮喜忘言；

孩子們兮樂無邊，

唱高歌兮焰火燃，

人山人海兮相流連，

駢迹來兮去摩肩；

願我們妯娌兮億萬斯年，

更願我們的孩子們兮爲世界民族先！』

唱罷，她們便飄然乘風而去；這時天上只有無數的繁星，在寒風裏閃着玫瑰色的光亮。

——一九二五年十二月十七。——

北河沿畔

—小品四章—

(一)試驢

燕臺的春，歸得眞晚呀！已經是四月了，還處處看得見深紅淺紫點綴着枝頭，掠風的燕子，婉囀的鶯哥，也得意地往還着綠槐嫩柳之間，時不時唱出牠們的嘹喨的歌兒，好像表示牠們生長着這裏而得春獨厚似的。然而正因爲這樣，就不禁觸動起我的傷春之念來了。人的悲感，常起於可悲的事之將實現之先；所以正在萬類陶醉着春的盛筵，狂飲着青春之酒的時候，而我却早已悵想到春歸以後的悲哀了。

這時正站着C院的南樓上，倚着欄杆，呆看着校園裏的燦爛的花枝；一直站到第二堂上課的時候，那綿綿不絕的悲感，才被欽欽……

的鐘聲敲斷；於是踉蹌地走下樓來，沒精打采地走回自己的書齋裡，剛放下書篋坐在案前的藤椅上，而一陣郎當郎當的鈴聲，忽和着得得的嘚聲觸着我的耳鼓，告訴我有驢兒或馬兒之屬，在廁所裏經過；我快快地披着門簾一看，果然夥計拉着一頭褐色的小驢。

『這驢兒是從那裡牽來的？』我向着牽驢的夥計問道。

『是掌櫃的親戚從鄉裏騎來的；你想騎嗎？先生！』夥計拉着驢子的頭兒，笑着向我答道。

我於是起了騎驢的念了：一方面想着——當這春光旖旎的時候，雖不能如李太白之醉瓊筵而坐花，張虛若之泛春江而賞月，然而在北河沿的兩岸，騎着驢兒跑一跑，也可以聊慰此心了。一方面却拿着草帽和鞭竿，只穿着西裝的裏衣，把拴着柱前的驢兒放下，不問不告地拉出門前。

我拉着驢兒出門的時候，廁所裏的人們，都驚視着；並一个个連忙跑出門前來看我。

騎上了驢兒的背，便在牠的臀部抽了一鞭；狂奔的速度，幾如戰馬的疾馳：然而一忽兒便緩慢起來了。抬頭一望，上面却蔭着蒼翠欲滴的槐葉，傍午的陽光照來，映得白色的裏衣，都成了綠色；而一枝枝的嫩葉，也時不時吻着我的耳邊唇際，使我不覺地湫到葉的嫩綠，而享到青春的滋味。

走過C院的門前，一個個下課回家的同學，都含笑地瞧着我，表現出心裏很奇怪的樣子；隔岸的行人，也目不轉睛地瞧着我；於是我心裏又不禁起了一種疑問：——爲什麼他們都這樣地怪視我呢？難道我不應該騎驢嗎？然而這又有什麼不可呢？或許他們以爲我住在這樣首善之區的北京城裏，不應該騎山鄉的驢子，而應坐汽車或馬車下而至人力車嗎？然而汽車馬車是一種貴族示威的東西，不但我無力坐，而且也不願坐，就下而至於人力車有時也還起車費恐慌之虞呢！哈哈！他們眞不知趣！安步也可以當車，莫說我還騎着驢子；況且驢子是探春最好的東西，試看古來的騷人雅士，差不多沒有一個不喜歡騎驢的，難道詩文上也沒有看見過嗎？哈哈！這些笨東西，眞是不知趣！

我這樣地在驢背上猜想，忽然驢兒却走到南河沿了；走過石橋，就有幾个小孩跑到驢兒後頭來赶；這種情形，又不禁使我想起四年前在故鄉賽馬的故事：——那時正是一个暮春天氣，郊上的清風，充滿着紫薇的香氣；點點的杜鵑花如珊瑚般地飄綴着峰的樹際；好像一朵朵紅花翠鈿，插着新嫁娘的頭上一般。青山深處，還唱着鷓鴣，一聲聲地和那田裏的枯槔相應。我和同學L君各騎着一匹白馬，在幽邃深處的白沙堤上賽跑，穿過溪村野店時，總有幾个小孩在後頭拿着亂梗或小石狂追；然而現在回憶起來，却己成了記憶之土裏的殘灰，而祇留痕跡了。四年來的青春，又不覺在客中過去，眞是不堪回首啊！唉！以有限的人生，度這無窮的春日，春來春去，正不知此生能得幾回呵？

想到這裏，驢兒又跑到將近寓所的石橋了；忽然碰着C君笑向我說道：

『你瘋了嗎？這樣沒有一點事情，却騎着驢兒跑狂！』

『你才瘋了；這樣好的春光，你都不會享受，人生究竟是爲什麼的，我今天騎着驢兒雖不曾享受到大好的春光；然而也曾嘗到青春的滋味。』

下了驢背望見遠遠的柳陰下，一個穿着桃色衣裳的小女坐着洋車拿着一枝鮮艶的紅花，飄飄而來；走前一看，才知道是密司Y的小妹妹；她還沒有下車就笑瞇瞇地向我說：

「Y先生！我姐姐請你去看電影，並叫我送給你這朵薔薇花，請你就跟我一塊去吧！」

我走過去接了她的花後，連驢子也忘却拉進去了；快快地把這枝含着微笑的花兒望鼻孔邊一聞，覺得無窮的春意，己經在這朵花中了

春日郊行

隨意遊春過短堤，花香風送板橋西；紅桃灼灼迎眉笑，翠柳依依到眼迷，翠舫洗樽斟綠蟻，畫橋閑樹聽黃鸝；醉携一笠前山去，瀟灑歸來月半溪。

（二）北河沿的一個夏之晨

轔轔的車聲，碾破幽人的殘夢，簷前的綠樹上，噪着三聲兩聲的鳥語．起視碧紗窗外，朝曦既散着淡薄的金光，吻着黑黝黝的屋瓦；一簇清新的曉氣，不禁把我的靜穆的心兒，引入河沿的槐柳之林。披衣出門，晴空正佈着碧綃般的輕雲，罩着半規的殘月．槐柳不時地滴着幾點殘雨，沿着翠色的鮮苔頓然染上深綠。樹根上負着螺旋的蝸牛，不管閒事地輕輕緣上樹枝；這種幽靜的曉林，只有微風吹得一聲落葉，點破無言的沉寂．

夷猶地走到河沿的石橋上，倚着橋上的欄杆，向着橋北遠望：夾岸的楊柳，浮着層層的淺翠深綠，罩着無邊的嵐綃霧縠，在晨風裏舞着婀娜的腰肢，倒影着似鏡一般的波光裡．那岸柳的中間，印出一帶蔚藍的長空，和溪水連成一色，練也似的繚繞到綠陰深處。更有學飛的乳燕，輕拂着晨烟；逐水的遊魚，爭唼着波沫。水天盡處，還現出一抹隱隱的蒼鬱的林梢，托出數角如眉的遠山，橫列着絳色的遙空之下，儼如一幅王摩詰的近水遠山圖。更倚着橋南的石欄一望：那楊柳外趁着雨後的樓臺，如同浴後的美女，越顯出鮮艷可愛的容顏。高架着河橋上的電燈，也還朦朧地放出幾點稀薄的殘光，照着憧憧來往的行人。這時候一輪紅旭，既和古色斑爛的城牆離着數丈的高度了；只攢入青翠交加的樹葉裏，照出幾聲嚌咽嚌咽……的蟬鳴。

披着晨光回來，昨夜含苞未放的晚香玉，也既吐出一簇清香，微笑地迎着我了。依舊地坐在案前，忽聽到一聲慣聽的賣花聲，喚老這河沿的夏之晨。

——十三，七，七。——

——156——

(二) 中秋之夜

這是中秋之夜，那一輪蟾魄，早既放出十二分的清光，照着纖塵不染的玉宇。搖曳着古牆之畔的秋柳，獨表現出牠們得月最先的態度，把一片片將落未落的葉兒，捧着燦爛的銀光，不住地在微風之前蕩漾，一點點的螢火，也收歛牠們微弱的閃光，潛伏着幽邃的柳陰底下；好像怕秋月的光亮撲滅牠們的微光而故意潛逃似的。我三足兩步地走出河堤；而一顆晶球，忽湧現着波光深處，令我相對默然，悟到水月禪心的境地。而一段詩魂，彷彿與大虛同遊，走入縹緲無邊之域，忽然C君攜着藥品前來，看見我呆站着柳下，便把手掌向我的肩上拍着說：

「又在這裏想誰？痴子！難道伊今天沒有來嗎？」

「我不是想誰，是在這裏想水底的嫦娥。」

「呵！水底的嫦娥！難道伊投水去了嗎？」

「哈哈！傻子！你不會瞧嗎？那水底的盈盈十五的嫦娥，多麼圓滿，多麼清麗，多麼幽默！我眞恨不得乘天河之槎，走入廣寒清虛之府，以一挹她的清芬呵！」

「呵，呵！怪不得！她的圓滿清麗而且幽默的態度，確是可以令人拜倒的；然而相距很近，又那裏要乘天河之槎呢？」

「哈哈！這个傻子呀！你眞以爲我在想伊而不是想水底的嫦娥嗎？你要知道！一个人對着偉大的自然的時候，常常被牠的魔力所吸引，而生出莫明其妙的感覺；此種感覺，就是到了陶淵明「此中有眞意，欲辨已忘言」的境地，也就是王摩詰「行到水窮處，坐看雲起時」的境地；你知道這一點，就無容再辯了。固然，望

——158——

月懷人，是騷客詩人的常事，尤其是光圓極頂的中秋夜月。然而這時所想，——在你未來時所想的確是單純地在想水底的月的；也許我再等一會會聯想到伊，然而現在却既被你打斷了。

『好好！不管你想的是什麼，我們還是進屋裡去吃月餅去吧！』

於是二人的辯論終結了。

在繚繞着牽牛花的屋簷下，搬着二張藤椅對坐着；剛拿起月餅的時候，就猛憶起數年前在家中賞月的情形來了。最深刻的是老祖母的如鱗魚的斑點一般的手，拿着一塊塊的月餅，微笑地分給弟妹們吃；最後又顫巍地向我說：『我的心肝！多吃幾塊吧！祖母不知道你們還得同吃幾回月餅呵！』她這句話，却引得我流淚了。誠然僅隔幾年，不但祖母已別我們而走入黃泉之路；就是父母弟妹們，也和我隔着萬重雲水；唉！『人生不相見，正如參與商，今夕復何夕』竟不能『同此燈燭光，」而僅僅在異地各望著這月光呢！接續地想下去，又想到在中學時代的一個中秋之夜：——那夜是一個小雨初晴的天氣，我和S君泛着一葉扁舟，來往着碧澄澄的寧水中流；那時一簇簇的桂花香氣，浮動著澄清的碧落，月光吻着瀲灩的的波光，波光擁着搖蕩的扁舟，彷彿乘銀辦遊水晶宮裡，坐仙槎到天河之洲；而且夾岸幽篁，清陰滿地，篩成萬千个字，掩映江邃；數點漁燈，正在荻蘆深處，一幅煙月橫空的江邨漁趣圖，尙在眼前；而我和S君，又一在天之南一在地之北；唉！「人生蹤跡原無定，正似浮萍一觸」呵！我還樣地默想了一回，抬頭看看C君，也無言地在那裏沉思，我便把手裡的月餅放下開始問他說：

「老C！你也在那裡回想往事嗎？」

「是的！「舉頭望明月，低頭思故鄉，」在這樣旅況蕭條的中秋

「是的：「舉頭望明月，低頭思故鄉，」在這樣旅況蕭條的中秋夜裏，誰不會望月懷人呢！」

我聽到他的話後，我愈覺得他可親，好像在世界以外的荒島裡，得到一个伴侶，自然內心是感到非常的愉快的。後來又把葡萄酒拿來狂飲，二人搦戰了一會，一直把一大瓶葡萄酒喝完才止。我在醉醺醺的情況中，便不知不覺地躺着藤椅上睡了。酒醒後，只見明月高懸，夜涼似水，案上剩着幾个杯盤，照出閃鑠的冷光；一種酒後的無聊，又不禁令我想起了伊。唉！「不平最是中秋夜，只有月圓人不圓，」我這樣地嘆了一聲，就告別了C君跟蹌地走進房裡去。

明早起來，寫給伊一封信說：「昨夜我這裏的月兒未圓，不知你那樓上的月兒圓不圓？……」

——一九二三年中秋後一日——

霍山雜詠十首

米甕高巖白雲堆、無限煙霞鎖未開，劈脫鴻濛天地殼、教他日月出頭來。（甕米石）

酒泉出處尚留痕、醉倒人間夢復昏，一自如來歸太乙、祇留空甕貯乾坤。（酒甕石）

尚留一乳養荒原、坤道由來有大恩，哺育螺峯千萬點、周遭羅列似兒孫。（鍾乳石）

欹斜崒嵂冠羣峯、形似船頭棹大空，任汝風波千萬變、此船終古不西東。（船頭石）

洪鐘何物鑄成形、天地爲爐石作型，安得一聲天下響、頓教塵世夢俱醒。（懸鐘石）

井水晶瑩映七星、連天十四照空溟，我來掬飲清冷味、絕勝曹溪百萬瓶。（七星井）

登仙巖上幾徘徊、無限愁雲一霎開，自有藍橋仙跡在、三山何必訪蓬萊。（登仙巖）

玉麟名洞豈無因、幽逈負寥棟宇新，想是玉書方吐後、曾來此處避紅塵。（玉麟洞）

猙獰靈貓據山間、舞爪張牙勢欲攀，笑煞人間多社鼠、幾時攖逐靖塵寰。（貓公石）

巖到東堂境益新、山鐘搖破嶺頭塵，此中自有天然趣、竹韻松聲繞四鄰。（東堂巖）

—162—

雪夜

吃過晚飯以後，涼風飀颼地襲人衣袂，淡灰色的寒雲佈滿了天空，知道『滕六姑姑』又在那裡恐怕人們的菜味太淡而快要撒她的無數的晶鹽了。我於是圍着爐兒拿着一本太戈爾的,,The lover,s gift and Crossing,,在電燈下誦讀；正讀到高興的時候，忽然聽到院子裏革革而來的步聲，接着又在玻璃窗上吭吭地敲了兩下，我以爲是C君來了；開門一看，誰知道竟是出乎意料之外的y呢！一簇芳香，忽然撲入我的鼻孔，我便很驚訝地問道：

『嘿！你怎麼這樣寒涼的晚上都冒着寒風出來看我呢？』

『是的，我正要來看看你，因爲也許這囘就是我們最後的見面了』她說話的時候，眼眶上現出了紅色。

「你說的什麼話呀？難道你有什麼意外的事嗎？」

「正是！我受了家庭的壓迫，後天就要和他們到C鎮去了；這完全是因爲我的父親要換任到那裏去的緣故。」

「呵！他換任了；但是他雖然換任，你沒有換任，不會和他抗辯嗎？」

「我也曾幾次和他抗辯，但是他總說：「一個年輕的女兒離開父母住在學校裏，總是不放心的；如果不跟着他走，他就什麼都不管。」唉！這有什麼法子呢？」

「咳！專制的家庭！腐敗的家庭！……」

房裏的空氣，忽然歸於沉寂，只見那熊熊的爐火，燃熱我們迴轉心頭的別淚。這時窗外已經下雪了，再談了一會，雪下得更大了，Y看着這个情形，也不敢久留，於是就冒着雪送他回去。

門外的雪花幾乎堆上了數寸的深度了，在冷寂的河沿上，既看不見一輛洋車，也看不見一个人影，只覺得那堆着地上的雪花，返映成一種白光，令人疑身在微茫的淡月之下；踏着雪花走去，只聽見鞋底下瑟瑟的聲音；那閃鑠在寒空裏的街燈，也放出牠們的微弱的淸光照出一雙長約數丈的人影。抬頭一看，兩人的衣帽上都已舖上了一點點綿絮一般的雪花。

再行幾步，已到了Y的門前了；將手把電鈴一按，而一个高大的朱門就張着牠的大口，把一个活潑多情的Y吞進牠的肚裏去了。

在冷寂的枯柳下，只剩着一个幾欲斷魂的我，在寒風裏數着雪花上面模糊的足跡。

——一九二三，一個雪夜。——

附『星花文藝社』啟事一則

一九二四年的初春，我們幾個喜歡文學的同志，曾組織了一個文學研究會並曾出一種文藝半月刊——星花；出[illegible]四期，便因會員多半畢業出京之故而停止了。現在我們擬於暑假後把牠繼續出版，並擬出叢書多種；而這冊北河沿畔，就是我們星花叢書隊裡之最先出現於東方的一個『啟明』。

——七，十，一九二六。——

166

楊晶華君屬我為他的詩文集作序。序跋之類既異峻刻之批評，又非浮濫之贊譽，必語無溢美，方推合作。我自知無此評斷力，只就見到想到的說幾句話罷。

大凡行文固貴沈着，亦貴有空靈之氣。以杜工部之推重李太白猶以「清新俊逸」許之。可見此境非易，而少年之作尤必具此朝氣。此集共分詩文兩部分，大體醇美可觀，清新

俊逸之氣亦往往流露而不可掩。論其題材以
寫景抒情爲多，論其風格則猶一翩翩濁世之
佳公子也。
清詞麗句必爲鄰，吾爲楊君誦之。異日所作更
當必將更進于此。後來者居上，吾亦爲楊君
誦之。

十五年六月十五日俞平伯寫於北京。

北河沿畔

一九二六年六月付印

一九二六年七月初版

星花叢書第一種

著作者 楊晶華

發行者 星花文藝社

代發行所 北京大學出版部
沙灘海音書局
馬神廟景山書社

分售處 各省各大書局

本書實價四角

作者未印成的書

(1) 旅囊雜掇

(2) 嶺東歌謠集

(3) 別後的情箋

(4) 綠窗絮語

(海音書局出版新書四種)

莫泊桑的詩

實價五角

這是法國莫泊桑一生名著正式詩集，謳歌極淫烈的性慾，有肉的意味而不猥褻；雖然當時法國官曾定了『有傷風化』的罪名卷首有他的老師福羅貝爾給他的一封眞摯的長信。附有『譯者的話』一篇張秀中譯，柳風校，全書二百餘面有原書極其美麗動人的插圖九幅，洋裝精印。

長短句

實價三角五

鄭賓于先生著，全書三萬言，著者說：『長短句在文學史上特別提出來講說的，前此無人，實自我始』這是文學史上的新的發現，不但在考據上占重要位置，並且於新的文學有莫大貢獻，卷首有潘梓年先生序及自序，洋裝精印。

曼雲

實價四角

呂沄沁先生著，全書分四輯：寫給亡友的信，小說，詩，雜感，作者反抗社會環境的精神對於生的態度，用精綴而哀婉動人的手筆，痛切淋漓的發洩於本書，了我們把此書公世，當不惜讀者諸君之眼淚，繪有精美封面洋裝精印。

愛的淚

實價八分

子分著，這是一篇長篇小說，爲描寫惡的方面的不端方的文學作品，把性的衝動，赤裸裸地寫出，讀過後覺得有熱烘烘的東西在胸中彈動，紫字，袖珍小冊、[illegible]美。

花木蘭文化事業有限公司聲明啓事

此次《民國文學珍稀文獻集成》出版，有賴各位作者家屬大力支持，慨然允贈版權，遂使這巨大的文化工程得以開展。本公司全體同仁在此向各位致以誠摯的謝意！

由於民國作者人數眾多，年代久遠且戰火頻繁，本公司傾全力尋找，遍訪各地，能夠找到的後人，得其親筆授權者，爲數甚寡。更多的情況是，因作者本人下落不明，連版權情況都無從知曉。

因此，本公司鄭重聲明：

此叢書所錄專著，凡有在版權期內而未授權者，作者家屬可與本公司聯繫，本公司願奉送相關贈書 50 冊爲報酬，補簽授權協議。

望家屬看到此通知後與本公司聯繫。聯繫信箱：hml@vip.163.com

花木蘭文化出版社

2021 年秋